”Som jag ser det så får jag vansinniga summor för att göra grimaser och ljuga och låtsas att jag är någon annan.”

JOHNNY DEPP

Retrospektivt

Steven Daly

Översättning Sara Årestedt

Tillägnad Georgia Catherine Daly

www.icabokforlag.se

Framtagen och producerad av
Palazzo Editions Ltd
2 Wood Street, Bath, BA1 2JQ, United Kingdom
www.palazzoeditions.com
Utgivningsansvarig: Colin Webb
Art director: Bernard Higton
Ansvarig redaktör: Judy Barratt
Redaktör: James Hodgson
Bildredaktör: Emma O'Neill

Originalets titel: Johnny Depp - A Retrospective
Översättning: Sara Årestedt
Sättning: Britt-Marie Ström
Redaktör svenska utgåvan: Henrik Karlsson
Tryckt i Kina av Imago, 2012

ISBN 978 91 534 3904 2

Första sidan: Porträtt av Christophe d'Yvoire, mars 1994.
Sidan 2: Presskonferens för Sweeny Todd, London, november 2007.
Sidan 7: På filmfestivalen i Venedig, september 2007.
Sidan 9: Porträtt av Armando Gallo, Hollywood, juni 2006.

Innehåll

11 **Introduktion**

Filmerna

22 De tidiga åren: A Nightmare on Elm Street till Cry-Baby
36 Edward Scissorhands
44 Arizona dream
50 Benny & Joon
56 Gilbert Grape
64 Ed Wood
74 Don Juan DeMarco
80 Dead man
86 I sista sekunden
90 Donnie Brasco
96 The brave
104 Fear and loathing in Las Vegas
114 The ninth gate
120 The astronaut's wife
128 Sleepy Hollow
138 The man who cried
142 Before night falls
146 Chocolat
152 Blow
158 From hell
166 Pirates of the Caribbean: Svarta pärlans förbannelse
176 Once upon a time in Mexico
180 Secret window
184 Happily ever after
188 Finding Neverland
196 The Libertine
202 Kalle och chokladfabriken
208 Pirates of the Caribbean: Död mans kista
Pirates of the Caribbean: Vid världens ände
222 Sweeney Todd
230 The imaginarium of Doctor Parnassus
234 Public enemies
240 Alice i Underlandet
246 The Tourist
252 Pirates of the Caribbean: I främmande farvatten
260 The rum diary
266 Dark shadows
270 Animerad film: Corpse Bride
Rango

278 **Snabbspola framåt**
282 **Filmografi**
286 **Bilder och källor**

”Om jag letar efter det konstigaste jag kan hitta, och sen gör det bara för att det är det konstigaste jag kan hitta? Nja, svaret är nej. Jag gör bara sånt jag gillar. Men, jag måste medge att det jag gillar har en tendens att vara extremt ... Jag gör bara roller jag gillar. Jag avskyr de uppenbara grejerna. De säger mig ingenting.”

”Alla otroliga människor jag har jobbat med – Marlon Brando, Al Pacino, Dustin Hoffman – har konsekvent sagt till mig: Kompromissa inte. Gör ditt jobb, och om det du ger dem inte är vad de vill ha måste du vara beredd på att gå därifrån.”

Som den ökände kapten Jack Sparrow i *Pirates of the Caribbean: Död mans kista.*

Introduktion

För flera år sen fällde Tim Burton, som Depp sen länge samarbetat med, den därefter omtalade kommentaren om att hans sidekick är ”en karaktärsskådespelare i en huvudrollsinnehavares kropp”. Beskrivningen är så träffande att man nästan vågar föreslå att en bok om Johnny Depp med just dessa sex ord ackompanjerade av en fotografisk historiebeskrivning av skådespelarens karriär skulle duga alldeles utmärkt. Förhoppningsvis finns det dock mer att hämta i en genomgång av Depps filmkonstvärv.

Så, vad kan man förvänta sig att få veta om Johnny Depp? Man vågar nog påstå att Johnny Depps like aldrig tidigare skådats – det här är en filmstjärna som upprepade gånger lyckats göra mainstreamfilmer till globala kassasuccéer, men som ändå verkar ovillig att på vanligt vis använda dessa succéfilmer som byggstenar i sin karriär. Tycka vad man vill om Johnny Depp, professionellt eller personligt, men det är i princip omöjligt att föreställa sig honom ens överväga den sortens cyniska strategitänkande som får så många skådespelare att metodiskt byta till sig roller i påkostade filmer mot roller i hedervärda indieprojekt.

"Det finns en drivkraft i mig som inte tillåter mig att göra en del grejer som är lätta. Jag kan överväga alla alternativ, men det finns alltid något som säger, 'Johnny, den här är det.' Och det är alltid den svåraste, alltid den som ställer till mest problem."

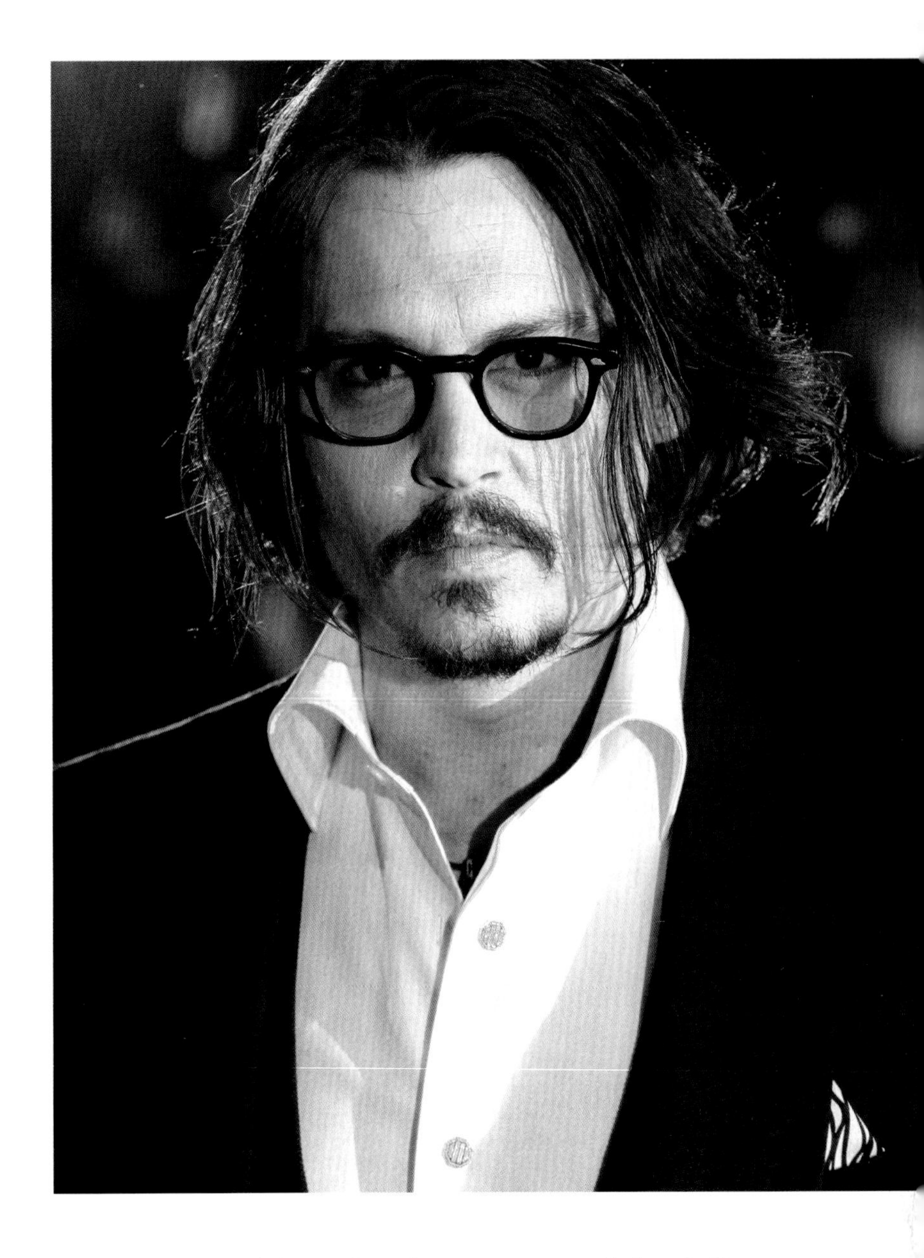

Huvudbonader – bandana, hatt och designerglasögon är vad Deppstilen har grundat sig på alltsedan tiden som tonårshjärtevärk i *21 Jump Street* (motstående sida).

Höger sida: Äldre och klokare, men fortfarande målinriktad. Vid världspremiären för *Alice i Underlandet*, där kungligheter närvarade, februari 2010, London.

Om man som skådespelare välsignats med Depps gudalika uppenbarelse skulle man antagligen tagit sikte på att bli nästa Paul Newman, en arketypisk mantel som bara en handfull av dagens manliga stjärnor kan aspirera på. Men varje möjlig medtävlare tyngs av minst ett diskvalificerande drag: George Clooney? Har utseendet, men är för skarp. Ryan Gosling? En oförliknelig ung skådespelare, men han saknar den äkta filmstjärnans ikoniska närvaro - fast det lär ju inte hålla honom vaken på natten. Matt Damon? För alldaglig. Brad Pitt? En tungviktartalang kvävd av skvallerpressen. Johnny Depp, å andra sidan, verkar förtjäna beröm som "sin generations bästa skådespelare" närhelst han antar en seriös roll - och han verkar precis lika hängiven utmaningen att ge liv åt kapten Jack Sparrow, den dåraktiga och fega "hjälten" i *Pirates of the Caribbean*.

Även om Depp fyller femtio i år är han lite som en tonåring: det finns en bestämd känsla av att han väljer projekt efter hur kul han tror att det kan bli, och - i många fall - hur mycket förvirring det skulle kunna orsaka bland hans anhängare, för att inte tala om bland det otal mediaexperter som får betalt för att hitta ett rationellt mönster bakom de "val" som görs av stjärnor av Depps kaliber.

Att leta efter ett etablerat mönster i Depps verk är en otacksam uppgift. Kanske beror det på hans slumpartade intåg i filmbranschen - han verkar fullkomligt frossa i det slumpartade - och hur han nyckfullt väljer sina projekt utan att darra på manschetten. Därför är det lika troligt att Depp spelar huvudrollen i en tveksam nyinspelning, som Tim Burtons *Kalle och chokladfabriken*, som de två fängslande birollerna i *Before night falls*, långfilmen från 2000 i regi av hedonisten Julian Schnabel, även stjärna i konstvärlden.

Genom åren har Depp finslipat sin förmåga att ge extremt sympatiska intervjuer som avslöjar precis så mycket som han vill avslöja och inget mer. Jag upptäckte denna särskilda förmåga när jag profilerade honom för Vanity Fair 2004. Den officiella tonen i vårt samtal förhindrade förstås himlastormande avslöjanden, men det var inte förrän efteråt som jag insåg att jag hade

"Jag minns att jag kände mig som ett missfoster när jag var ungefär fem. Jag kollade på andra barn och fick en konstig känsla av att jag var den som stack ut."

Depps samling av tatueringar har stadigt ökat genom åren. Ett av de första motiven bar hans mammas namn, Betty Sue.

råkat ut för en ficktjuv, bildligt talat. Även om intervjun gick bra och artikeln som den resulterade i blev någorlunda tillfredsställande, så hade jag direkt efter vårt samtal känslan av att ha lyckats ta hem många fler tiopoängs-citat än vad som faktiskt fanns på mitt band.

Vad jag hade fått var en variant av Johnny Depps standardintervju, vilket ändå alltid är mer uppbyggligt än standardintervjuer med andra bland hans samtida. Han talade om hur hans inställning till skådespeleriet hade varit efter att han av en slump hamnat i professionen: "Jag tänkte att jag kunde fortsätta tills de sa 'Nej'." När vi talade om den berömmelse som tonårspolisserien *21 Jump Street* hade gett honom använde Depp talande nog en musikalisk analogi som måste ha låtit uråldrig för de flesta av hans yngre beundrare. "Jag tänkte för mig själv, är det här Kajagoogoo? Är det A-ha? För det är verkligen inte The Clash, det är inte Iggy och det är inte Bowie. Jag visste att det var fel - det var falskt."

Depp talade också om efterspelet av en intervju han hade gjort med en tysk tidning året innan, i vilken han enligt citat skulle ha kallat sitt fosterland USA för en "dum valp" jämfört med äldre nationer på andra sidan Atlanten. Även om Depp vidhöll att det tryckta citatet inte stämde, hade han ändå varit så angelägen om att rätta till intrycket det hade gjort att han faktiskt hade ringt till flera personer som tagit illa upp och omsorgsfullt förklarat sig. "Om du fortfarande tycker att jag är ett as eller en idiot efteråt, så okej. Men lyssna åtminstone på mig."

Om det här skulle få någon att tro att Johnny Depp är för bokstavlig eller trögtänkt för att uppfatta ironi, så måste det förtydligas att så inte är fallet. Han är en väldigt klipsk person som till fullo förstår vår tids *lingua franca*. Men till skillnad från majoriteten av sina likar väljer han att helt enkelt inte låta sådana funderingar påverka hans arbete. Det skulle, till exempel, inte ha krävts ett geni för att lista ut att *The Tourist*, denna obetänksamma spiongalenskap från 2010 som Depp gjorde tillsammans med Angelina Jolie, bara var blott ett höjt ögonbryn från att bli *camp* - men Depp valde att *inte* höja sitt ögonbryn. Som alltid spelade han rakt av, och satte sin tillit till regissören och manuset. Även om det här kanske var fel metod så får man känslan av

Höger sida: Festar med den dåvarande flickvännen Kate Moss på Metronome, New York, där man firade Mickey Rourkes födelsedag, september 1994.

Längst till höger: Familjefadern – med Vanessa Paradis och deras två barn, Lily-Rose Melody och Jack, juli 2002.

att Depp är en skådespelare som hellre har fel än väljer det lätta alternativet.

Om man vill analysera Johnny Depp är *The Tourist* – som ingen kan hävda är bra – upplysande på ett annat område. Under tiden som han gjorde filmen i Venedig fick Depp på nära håll se den sorts mediabevakning hans motspelerska Jolie och hennes man Brad Pitt måste leva med. Efteråt sa Depp att han ”antagligen skulle sitta i fängelse” om han blivit påpassad på samma sätt, och med tanke på hans tidigare meriter kanske han bara halvt om halvt skojade. Depps mest ökända skvallerögonblick var när han tillbringat en natt i finkan efter att ha slagit sönder ett hotellrum i New York 1994 och när han hotade paparazzi i London 1999. Han kopplades också indirekt samman med River Phoenix tragiska död: Phoenix kollapsade utanför Depps klubb Viper Room 1993.

Mycket trycksvärta har slösats på ovan nämnda händelser, men Depp har under det senaste årtiondet kunnat njuta av en förvånansvärt lågmäld tillvaro för att vara en filmstjärna som tjänar 50 miljoner dollar per film. Den saken möjliggjordes delvis av skådespelarens köp av en karibisk ö för 3,6 miljoner år 2004, och delvis av att hans andra huvudsakliga vistelseort under den långa relationen (som officiellt avslutades i juni 2012) med den franska aktrisen Vanessa Paradis var en avlägsen villa i södra Frankrike. Hursomhelst, ingen av dessa platser är i sig själva immuna mot skvallertidningarnas objektiv – men Depp har på något vis samlat på sig den sortens respekt, till och med hos mediafolk som skulle fnysa om någon använde ett sådant ord offentligt.

Allt det här gör det bara svårare att få korn på den sanna naturen hos den säregna underhållaren. När det gäller Johnny Depp får man leta bortom alla standardintervjuer efter smulor av avslöjande information, varhelst de kan hittas. När jag intervjuade honom 2004 lät jag bli, för att inte framstå som en stalker (vilket jag inte är – ärligt), att tala om för honom att jag tidigare hade förhört flera av hans gamla flickvänner, liksom mamman till hans två barn, nämligen: Sherilyn Fenn, Winona Ryder, Kate Moss och Vanessa Paradis. Det var bara Moss som var ihop med Depp när vi talades vid, och hon råkade dela med sig av en gnut-

Visar upp sig: Depp slår sig ner tillsammans med Kate Moss inför Cannesfestivalens visning av *The brave*, hans hittills enda regiarbete, maj 1997 (vänster); närvarar vid premiären för *Den objudna gästen (Pacific Heights)* med sin dåvarande fästmö Winona Ryder, september 1990 (nedan); och anländer till 2008 års Oscarsgala med Vanessa Paradis (motstående sida).

ta insyn utan att ansättas av en enda påträngande fråga.

Det var 1996 och The Face hade gett mig i uppdrag att skriva en stor artikel om den engelska modellen, som då var mitt i ett fyra år långt förhållande med Depp. När lunchintervjun var över råkade jag nämna att jag nyligen hade sett flera exemplar av en Iggy Pop-biografi som inte längre trycktes i en butik någon kilometer från restaurangen i Greenwich Village där vi befann oss. Även om det regnade den eftermiddagen insisterade Moss på att vi skulle gå till butiken: Depp hade gett 22-åringen en informell utbildning i all klassisk underground, från Iggy till William Burroughs till Jack Kerouac och vidare, och hon vill ge honom ett exemplar av boken som ett bevis på sin uppskattning. Bilden av Depp som en av alternativkulturens sista, livs levandes, rättroende stärktes åtta år senare när jag fick chansen att fråga honom om hans tidiga kulturella influenser: de flesta hade han fått från sin äldre bror Daniel som var född 1953. Tanken på Johnny Depp som en bastion för efterkrigsgenerationens värderingar förklarar delvis hur han närmar sig skådespeleriet – men tillräckligt många obesvarade frågor kvarstår.

"Det känns fortfarande som att jag är ett sjuttonårigt bensinstationsbiträde i södra Florida, och att det är andra människor som sätter den här märkliga stämpeln på dig."

En något mer ortodox källa för användbar Deppdata finner man i Movielines stora artikel om skådespelaren, från maj 1990, som då precis hade blivit utnämnd till "Morgondagens manliga stjärna" i en Las Vegas-ceremoni anordnad av National Association of Theater Owners. Movielineartikeln fångade Depp i ett särskilt betydelsefullt vägskäl i karriären: han var en hårt arbetande 26-åring på väg från ett relativt dunkel in i rampljuset – det här var strax innan *Cry-Baby* och *Edward Scissorhands* kom, i en tid när skådespelaren var väldigt medveten om att media ville se om han skulle visa sig vara en utmanare att räkna med.

För många tyckare var en invändning vid den här tiden – förutom hans tonårsidolstid i *21 Jump Street* – Depps historia med kvinnor. Han bar en sjuttiofemdollarstatuering med orden "WINONA FOREVER" (vilken, under senare år och mycket omtalat, ändrades till "WINO FOREVER"). Bläcket satt där som en hyllning till hans dåvarande flickvän Winona Ryder. Deras förlovning, liksom hans egen karriär, devalverades bara en smula av det faktum att han också hade förlovat sig med två av sina tidigare flickvänner, skådespelerskorna Jennifer Grey och Sherilyn Fenn.

Movielines skribent Stephen Rebello frågade: "Borde en knoppande sexgud verkligen göra parodi på sig själv, före sin egen tid?" och undrade – så här i efterhand, bittert – om Depp var "något annat än bara ännu en [James] Dean-imitatör i stil med Michael Parks, Christopher Jones eller Maxwell Caulfield?" Depp visade beundransvärd självmedvetenhet i den här intervjun från 1990 och talar uppriktigt om sina tidigare duster med droger och alkohol, och uttryckte sin förvåning över breven han fick från tonårsfans. "Jag är precis lika körd som alla andra", bedyrade han.

Depp verkar aldrig ha känt sig riktigt bekväm i en bransch så långt ifrån hans djupt liggande rockvärderingar, men 1990 uttryckte han detta obehag på ett sätt som filmbranschens bibel, Variety, hade kunnat kalla "oproffsigt". Han visade öppet sitt förakt för *21 Jump Street* och pratade om hur han räknade ner dagarna som var kvar på hans kontrakt med tv-producenterna, som gav honom 45 000 dollar per avsnitt. Depp hade redan visat sitt missnöje genom att, bland mycket annat, elda upp sina kalsonger på inspelningsplatsen, men i Movielineintervjun en-

”Jag tror att det är viktigt att vilja överraska publiken, att vilja överraska sig själv och jag tror att det är viktigt att man varje gång man ger sig ut på banan tänker ’Kanske är det den här gången jag verkligen misslyckas. Det kanske är den här gången det antingen är för mycket eller inte tillräckligt.’ Jag tror att det är viktigt att göra det som skådespelare.”

Vegas får vänta: "Franchisekillen" i en pressfotografering inför *Pirates of the Caribbean: Svarta Pärlans förbannelse*, 2003.

visades han med att även spela ut offerkortet. I ett utbrott som numera borde få honom att rysa skyllde Depp sin olycka på ”folk i slips med väldigt stora pennor som sitter böjda över skrivbord och gör onda saker”.

Inom bara några år skulle Depp lära sig att vara mer försiktig och utveckla en förmåga att uttrycka sig på ett mer älskvärt, självförringande sätt. Depp har ofta refererat till sig själv som en ”franchisekille” i efterdyningarna av *Pirates of the Caribbean*-filmerna, som alla har tjänat in hundratals miljoner dollar i biljettkassorna världen över. Eftersom Depp har en nyckelroll i *Pirates*-franchisens framgång kunde han begära över 50 miljoner dollar för den fjärde filmen i serien, och till och med mer för den femte.

Sett till ytan verkade blotta tanken på att spela i en film baserad på en av Disneys åkattraktioner i bästa fall befängd när det hela först tillkännagavs. Och utöver det, utsikten av att Johnny Depp tänkte medverka i en sådan film som du skulle kunna se på ett flyg med hörlurar du får betala för. Vad var det som fick en av världens häftigaste skådespelare att ta sig an ett sådant projekt? Om Depp hade fått en dollar för varje gång den frågan har ställts under hans karriär, då hade han varit nästan lika rik som han är idag, som den överallt älskade skådespelaren vars filmer tillsammans tjänat in mer än 7,5 miljarder världen över.

Nu återstår det att se ifall kapten Jack Sparrow kan kittla allmänhetens fantasi under en femte runda, men det är svårt att föreställa sig Depp ligga sömnlös i undran. För första gången tycks han ha hittat något som liknar en karriärkarta, vilken numera verkar innebära att varva *Pirates*-filmer med Tim Burton-projekt, för att sen fylla i tomrummen efter behag.

Kanske borde sista ordet överlämnas till Johnny Depp själv. I den där intervjun för Movieline från 1990 visade Depp en viss klarsynthet när han ombads förutsäga på vilket sätt han till slut skulle bli ihågkommen. ”Johnny Depp fick sitt stora genombrott i *21 Jump Street*”, sa den blivande megastjärnan. ”Han fortsatte med film, och efter det blev han underhållare i Las Vegas.”

De tidiga åren:

Terror på Elm Street (1984)
till *Cry-Baby* (1990)

”Jag hade inte agerat innan. Jag hade aldrig varit med i skolpjäser. Ingenting. Bara att allt var helt nytt för mig var en kolossal utmaning.”

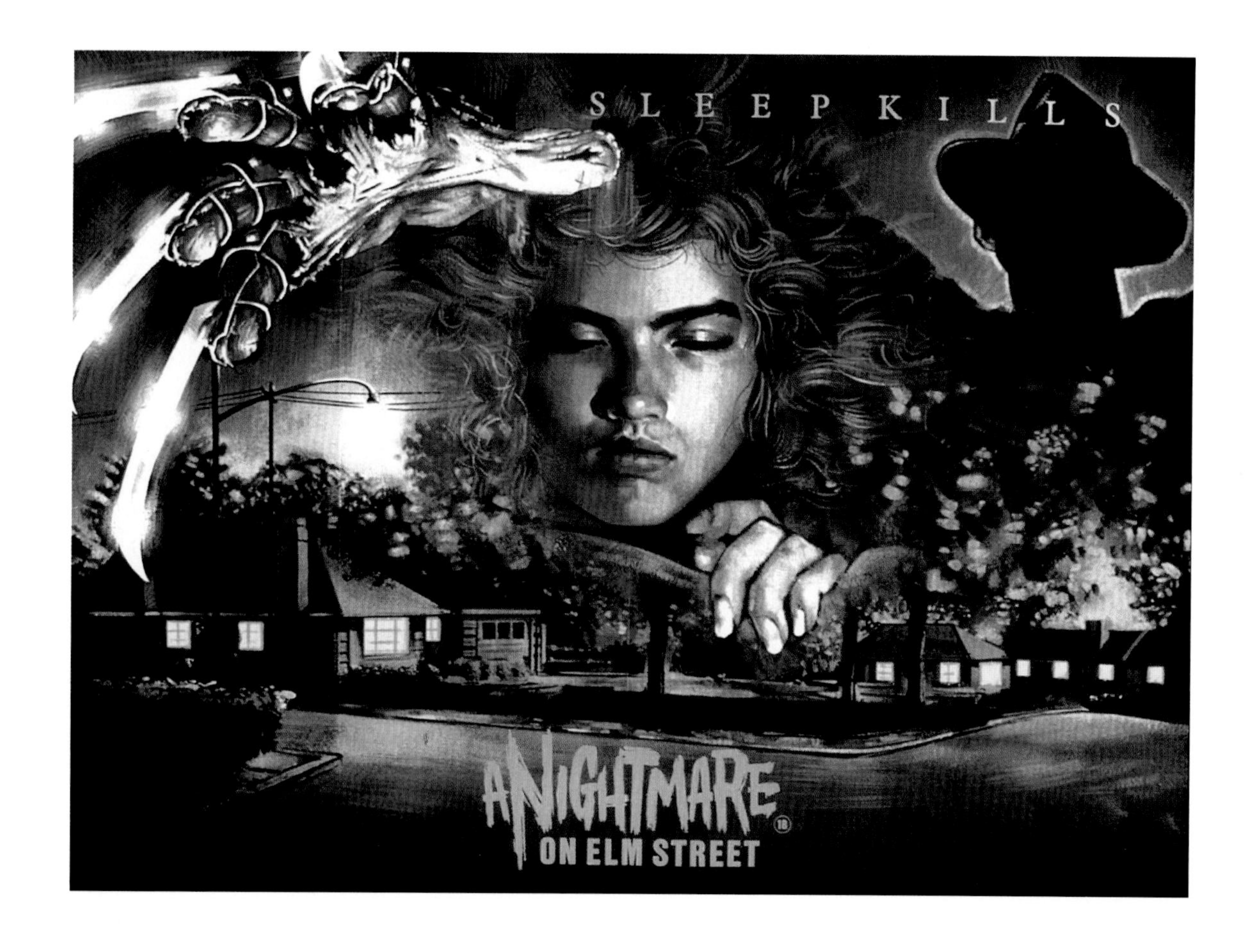

Föregående sida: En tjusarlock att drömma om, i *Cry-Baby* 1990.

Som den olycksdrabbade Glen Lantz i *Terror på Elm Street*, Depps första filmroll.

Det var inte förrän 1983 som Johnny Depp, 20 år gammal, skiftade fokus – från början av en slump – från rock'n'roll till skådespeleri. Under Depps kortlivade äktenskap med Lori Anne Allison hade hon presenterat honom för en av sina före detta pojkvänner, Nicolas Cage. Den svärmiska, unga skådespelaren verkar ha sett en själsfrände i Depp, för han uppmuntrade envist nykomlingen från Florida att snarare överväga en karriär som skådespelare än musiker. Trots Depps brist på erfarenhet av (eller anspråk på) teaterkonsten ordnade Cages agent ett möte med rollbesättaren Annette Benson som fixade en provspelning för skräckfilmsauteuren Wes Craven.

Craven höll just på att rollbesätta den första i hans serie av *Terror på Elm Street*-filmer och Depp var aktuell för rollen som Glen Lantz, en halvstökig college-kille med otur. Även om den långhårige novisen inte var det minsta lik rollen som beskrevs i Cravens manus blev regissören tillräckligt imponerad för att ge den till honom. (Enligt en, kanske inte helt tillförlitlig, historia skulle Cravens sextonåriga dotter ha läst repliker med Depp innan provfilmningen och även haft en del inflytande över sin fars beslut.)

"Jag gjorde några riktiga skitfilmer då när jag började, men jag skäms inte för dem, särskilt eftersom jag ändå inte tänkte bli skådespelare – jag försökte bara tjäna lite pengar. Jag var fortfarande musiker."

Inte är det Bergman: affischen för den tonårsekivoka *Privat område*.

Genom hela sin skådespelarkarriär har Depp nedvärderat sin egen förmåga, men tack och lov såg Wes Craven något hos honom under denna första provspelning. "Johnny var mycket mer världsvan än de andra snygga killarna som dök upp", mindes regissören. "Han kedjerökte och fingrarna var gula. Han var mer världsvan, liksom."

I *Terror på Elm Street (A Nightmare on Elm Street)* fick en generation unga biobesökare möta ärkeondingen med den lavaliknande huden och klohandsken, Freddy Krueger, nemesis för Johnny Depps rollgestalt. Enligt skräckfilmens alla regler struntar Depp i flickvännens desperata bön om att han *till vilket pris som helst måste låta bli att somna* – i samma ögonblick som han slumrar till sugs han brutalt in i sin säng, varpå hela sovrummet översköljs av blod.

Terror på Elm Street må ha varit Wes Cravens senaste kassasuccé, men Johnny Depp var helt på det klara med att filmens framgång hade väldigt lite med hans insats att göra. Faktum är att han senare medgav att "efter att den filmen hade gått upp trodde jag inte att det skulle bli fler. Det var inte nödvändigtvis så att jag ville det heller." Men det är klart att det blev fler filmer, även om de ibland kunde få Depps initiala nonchalans inför filmbranschen att verka rättfärdigad.

Depps nästa film, tonårskomedin *Privat område (Private Resort)* från 1985, låg långt ifrån Wes Cravens territorium – men borde ha varit minst lika skrämmande som en skräckfilm för de flesta unga skådespelare med bara en uns självrespekt. Filmen – som innehåller Depps första nakenscen, och där han spelar mot sin nykomlingskollega Rob Morrow – spelades in på en faktisk turistort i Florida och led av sådan total avsaknad av djup att poolerna framstod som rena oceanerna i jämförelse. *Privat områdes* intrig, ungefär lika tajt som en badrock, rörde sig mest kring två ynglingar som trånade efter en rad kurviga, oåtkomliga kvinnor med stora frisyrer. Med andra ord var detta en film som i stort liknade ett otal andra filmer som tillsammans gjorde 80-talet till det årtionde då Hollywood upptäckte hur mycket man kunde tjäna på att lite vagt vädja till den manliga delen av tonårsbefolkningen.

Även om Depp kanske helst hade sett att hans CV aldrig be-

”Jag var den här produkten. Tonårskille. Poster-ansikte. Allt det som jag inte var.”

Att gå från blickfång till fängslande: Allteftersom han under åttiotalet tog sitt yrke på allt större allvar kämpade Depp för att söka sig bortom sin image som affischpojke.

sudlats med orden *Privat område* så skakade han då bara av sig filmen som lite ”hederligt snusk”. För Johnny Depp var film fortfarande inte alls lika viktigt som rock’n’roll.

Å andra sidan började Depp, trots *Privat områdes* plaskdammsporr, alltmer överväga sysselsättningen han snubblat in i. ”När jag såg hur dålig jag var bestämde jag att jag var tvungen att göra något åt det”, berättade han för tidningen Movieline 1990. Depp anmälde sig till skådespelarlektioner på The Loft Studio i L. A., och läste alla de klassiska instruktionsböckerna av Uta Hagen, Stella Adler, Stanislavskij med flera.

I samma hyreshus som Depp bodde medlemmar i ett lokalt band som hette Rock City Angels, som med jämna mellanrum försökte värva honom som deras nya gitarrist. Depp tackade artigt nej till dessa närmanden. Efter att ha nått en återvändsgränd med bandet The Kids hade Depp fått några hyfsade chanser inom filmen, men dessa hade inte lett till något annat än några enstaka tv-jobb. Hans ekonomiska tillvaro i Los Angeles var fortfarande otrygg och lösningen fanns knappast i ännu ett rockband.

Det hade bara kommit ett enda erbjudande om ett regelbundet skådespelarknäck, från producenterna bakom en ny polisserie på Fox TV som hette *21 Jump Street* – en riktig sörja om en patrull släthyade poliser som arbetade undercover i high school för att utreda olika brott. Depp betraktade serien som trams, men producenterna ville inte godta ett ”nej”. Så efter att ha gjort en realistisk bedömning av sina alternativ accepterade Depp rollen som den fjuniga polisen Tom Hanson, ett beslut som garanterade honom en lön på 45 000 dollar per avsnitt, men tvingade honom att tillbringa det mesta av sin tid på en inspelningsplats i Vancouver i Kanada.

Året innan hade Depp begett sig till vildmarken i British Columbia när karriären hade tagit ännu en av de nyckfulla vändningar som skulle komma att utgöra hans skådespelar-CV under kommande årtionden. Som från ingenstans hade den nyskapande regissören Oliver Stone gett Depp en liten, inte helt obetydlig, roll i Vietnamkrigsfilmen *Plutonen (Platoon)* där en mängd väletablerade och högt ansedda yngre skådespelare medverkade.

Depps medverkan i Oliver Stones *Plutonen* gav honom den sortens trovärdighet som *21 Jump Street* inte kunde erbjuda. Även om rollen som menige Lerner var liten lyckades Depp överträffa filmens stjärnor Willem Dafoe, Charlie Sheen och Tom Berenger (motstående sida).

Uttryckt i skådespelartermer: Johnny Depp fick snabbt lära sig att hålla sig flytande på den djupa delen. Stones nya film var inte bara oändligt mycket mer prestigefylld än hela Depps slumpartade samling projekt, den innebar också utmaningen att arbeta under nästan två månader i den filippinska djungeln. Depp var antagligen en av få i teamet som innan dess inte hade vågat sig utanför fosterlandet USA:s gränser.

Oliver Stone pratade med uppsluppen entusiasm om sitt nya fynd, och deklarerade att han kunde avgöra ”på flera kilometers avstånd” att Depp var ämnad att bli en stor Hollywoodstjärna. Den gråsprängda livsnjutaren tillika Vietnam-veteranen var tvärsäker på att den unge Depp var ett ”original”, och de gånger han syns i *Plutonen* bekräftar tillfällighetsaktören denna intressanta tanke.

Depps rollgestalt i *Plutonen*, menige Lerner, deltog inte i kamraternas hobbyartade vapenlekar, eller i den ”omklädningsrums-brottning” som kännetecknar Stones film. I egenskap av plutonens tolk sympatiserar Lerner med de civila vietnameserna som berättar för honom att Viêt-công tagit över deras byar för att använda dem som baser för attacker mot amerikanska styrkor. Lerner vädjar till sina alfahanne-kollegor å lokalbefolkningens vägnar i ett försök att förhindra en My Lai-liknande massaker på oskyldiga. Soldaterna bränner ändå ner byn och skjuter en civil kvinna, under tiden försöker Lerner evakuera barnen. Även om Depps roll inte gav utrymme för vräkigt överspel och hans insats förbisågs av recensenterna, grundlade han här den tystlåtna men myndiga närvaro som har blivit hans signum på film.

"Jag måste säga, det var verkligen känslosamt. Placerar du trettio killar i djungeln och lämnar dem där tillsammans i två veckor, precis som en riktig pluton,då blir det riktigt tajt. Nästan som en familj. Vi blev en militär enhet, en pluton."

När plutonen kämpar sig allt djupare in i den tryckande kompakta, vietnamesiska djungeln råkar den hamna i ett Viêt-công-bakhåll. Depps rollgestalt såras i eldstriden, för att sen räddas av en soldatkollega. Det sista vi ser av honom är när han blir evakuerad i en helikopter full av andra sårade och döda militärer.

Trots liten exponcring på bioduken kunde Depp åtnjuta (eller som han skulle ha uttryckt det, utstå) ett större mått berömmelse tack vare sin roll i *21 Jump Street*, en serie som han innerligt avskydde – även om han påstods få tio tusen fanbrev i månaden. När han var på plats i Vancouver kände Depp alltid att han missade den puls han egentligen ville ha. Bandet som han hade avböjt att gå med i, Rock City Angels, hade lyckats skaffa sig det fetaste kontraktet någonsin med ett av de större bolagen. (Senare avpolletterades de efter bara ett floppande album.) Och även om Depp nyligen haft privilegiet att arbeta med en filmregissör i världsklass hindrade Kanadaexilen honom från att omsätta den meriten i bättre roller som kunde ge honom trovärdighet inom branschen. Hans närmaste framtid tillhörde *21 Jump Street* och Fox Network, och det enda de ville var att se hans ansikte på tonårstidningarnas omslag.

Varje gång Depp beklagade sig i media om hur *21 Jump Street* fick honom att känna sig som någon på slavkontrakt (för 45 000 dollar per avsnitt), avslöjade han omedvetet för branschen vilken novis han faktiskt var: om de stora tv-bolagen inte insisterade på att alla skådespelare i deras nya serier skrev på flerårskontrakt skulle det resulterande tumultet i princip ha försatt dem i konkurs. Det ständiga läckaget av historier om Depps griniga beteende under inspelningarna – en gång eldade han upp sina kalsonger, och han vägrade att medverka i vissa avsnitt – bekräftade bara den växande misstanken att den stiliga ynglingen från Florida kanske inte var så världsvan som Wes Craven hade trott då, 1984.

Om det fanns en filmregissör med en stark känsla för det tonåriga kändisskapets inneboende absurditeter så var det John Waters från Baltimore, mannen som William Burroughs ut-

nämnt till ”Skitens påve” på grund av de gränsöverskridande, kult- och lågbudgetfilmer han gjort i sin hemstad under sextio- och sjuttiotalen. Den fortsatt frustrerade stjärnan i *21 Jump Street* hade explicit önskat att få ”jobba med en fredlös”, och när han fick höra att John Waters faktiskt ville träffa honom var det som att hans böner hade blivit besvarade. Men vid det här laget hade den tidigare frifräsaren Waters tappat tempo, för att uttrycka sig milt. Och dessutom – var i hela världen skulle Depp hitta en sant ”fredlös” som hade råd att ge honom en miljon per film? (En miljon dollar var antagligen långt mer än den sammanslagna kostnaden för alla de skabbiga, Baltimorebaserade filmer som hade skapat John Waters rykte.)

Mot slutet av 80-talet hade Hollywood adopterat Waters som sitt alldeles egna freak, och 1988 fick han två miljoner att lägga på *Hairspray*, en kitschig och käck film om ett dansprogram på tv under det tidiga 60-talet. Filmen gjorde en bra förtjänst och var tillräckligt oförarglig för att omarbetas och bli en långkörare på musikalscenen. John Waters nästa film skulle komma att bli *Cry-Baby*, ännu en historia med rötter i de avlägsna minnena av ungdomslivet i Baltimore. Den här filmen, som utspelade sig under årtiondet innan *Hairspray*, var en drift med dels 50-talets filmer om unga ligister, dels med den sortens pastellfärgade rock'n'roll-musikaler som Elvis Presley brukade göra i parti och minut – filmer som blev outhärdligt intetsägande efter att han lämnat amerikanska armén 1960. I termer som var ganska ohippa redan 1990 beskrev Waters sin senaste vision som ”*King Creole* på syra”.

Som i tidigare fall var den nya filmen ett bevis på Waters lysande förmåga att använda kändisar: i den handplockade truppen av publikfriande, personifierade gapskratt fanns före detta porrstjärnan Traci Lords, den omvända, ”revolutionära” arvtagerskan Patricia Hearst, den före detta warholska stjärnan Joe Dallesandro, den överåriga hunken Troy Donahue, samt ”punkens gudfader” Iggy Pop – en av Depps hjältar som senare också blev en god vän. Att tillsätta filmens huvudroll – en snygg ungdomsbrottsling i vardande, som fått namn efter sin unika för-

Med den fredlöse regissören John Waters vid ratten och Johnny Depp på bågen blev *Cry-Baby* en kitschig parodi på 1950-talets rockmusikaler. Filmen gjorde kritikerna uppmärksamma på den lovande skådespelaren och kom att bli den första av många huvudroller. I baksätet sitter Traci Lords som Wanda Woodward (höger).

måga att med vilja fälla en enda tår – var dock något som krävde större allvar. Den 42-årige Waters köpte en drös tonårstidningar, men behövde bara kasta ett öga på dem innan han hittade vinnarlooken han var ute efter. Matinéidolen kisade mot honom från omslagen till de flesta av de här publikationerna – det var en yngling vid namn Johnny Depp. Waters utnämnde honom entusiastiskt till ”det snyggaste bensinmacksbiträde som någonsin levt”. Det här var den enda skådespelare John Waters kunde tänka sig i rollen som Cry-Baby. Det skulle visa sig att Depp knappast kunde ha önskat sig en bättre chans i detta kritiska ögonblick i hans spirande karriär.

Cry-Babys budget på 12 miljoner dollar var kanske småpotatis för mainstream-Hollywood, men finansiering i den här skalan var något som John Waters knappt skulle ha vågat drömma om några år tidigare. Tolv miljoner skulle ge honom möjlighet att återskapa varenda detalj i den brokiga epok han parodierade.

Waters – som till och med gjorde en cameoroll som en mr Bean i *21 Jump Street* i februari 1990 – satiriserade kanhända en era som sen länge dränerats på all komisk potential, men det hindrade inte Johnny Depp från att greppa efter denna gyllene chans att visa upp ännu en aspekt av sin skådespelarförmåga, och samtidigt häckla den tonårsidolkrona Fox TV hade tvingat på honom.

Depps rollgestalt, Wade ”Cry-Baby” Walker, är ledare för ett West Side Story-liknande gäng vid namn The Drapes och en åter-

kommande gäst på ”juvie hall” (ungdomsanstalt, ö. a.). (Under allt läder klappar Wades hjärta tydligen för den breda underhållningen, han organiserar nämligen en intern danstrupp under en av inspärrningarna.) På den tiden när han fortfarande var ”Skitens påve” ägnade Waters knappt en tanke åt ”berättande”, utan föredrog i stället att godtyckligt kombinera skildringar av olika kufar med lösryckta scener som mest fick vara med för sin förmåga att chockera. Men nu när han gjorde 12 miljoners-filmer tvingades den koketta, pinnsmala regissören att få allt att hänga ihop i en faktisk intrig: *Cry-Baby* pyntades således med en variant av det gamla Romeo och Julia-temat, där Depps lynniga rebell försöker återerövra den tillfälligt vilsegångna helylleflickan Allison Vernon-Williams hjärta (spelad av Amy Locane).

Vi kan strunta i detaljerna i den tumultartade kärlekshistorien som står i centrum för *Cry-Baby* (det gjorde ju John Waters!), för om den här filmen överhuvudtaget ”handlade” om något så var det om Johnny Depp. Tjugosexåringen förstod instinktivt behovet av att spela stramt när John Waters cirkus rasade runt honom och bevisade att han hade de skådespelarverktyg som krävdes för uppgiften. Inte många andra skådespelare i Depps generation hade kunnat upprätthålla Wade Walkers absurda stoicism genom hela Waters *camp*-komedi utan att ha smugit in åtminstone en konspiratorisk blinkning till publiken, bara för att visa att man ”hade fattat”. Johnny Depps *Cry-Baby*-gestaltning fick en att tänka på Wes Cravens kommentar om att den unge skådespelaren hade ”en gammal själ”.

Men det betyder inte att Depps rollprestation var två timmars gravallvarlig passivitet. På ett ställe i filmen framför han ett rockabilly-nummer på scen och frambesvärjer den white-trashiga övertygelse och sensualitet som en gång var synonym med den pre-militäre Elvis Presley. (Depp mimar i de här scenerna; flera år senare fann han ett projekt där han fick stoltsera med sin mer än dugliga sångröst.)

När musiken tystnar sliter Depp upp sin skjorta för att avslöja

"King Creole på syra." Elvis ande kanaliseras genom den unga stjärnan.

Nästa uppslag: Porträtt av Philip Saltonstell, omkring 1987.

"Det fanns de som tyckte att Cry-Baby var en dålig idé. Men jag har alltid beundrat människor som John Waters, som aldrig kompromissar. Den lätta vägen är tråkig."

en bringa tatuerad med en elektrisk stol, till minne av sina avlidna föräldrar. Med stort allvar informerar han publiken om att "elektricitet dödade min mamma och pappa". Om man kunde peka på det ögonblick då Johnny Depp blev Johnny Depp, så är det här. Under loppet av en enda film hade han lyckats kasta av sig stigmat han fått av *21 Jump Street*, knutit an till en helt ny publik och omdefinierat sig själv som en stjärna på uppgång med den sortens filmnärvaro som folk kunde tänka sig att betala för att se. Depp skulle fortsätta att renodla den närvaron, en närvaro som inte riktigt gick att jämföra med någon av de redan existerande arketyperna. Kanske räcker det med att säga att ingen annan manlig filmstjärna, med Paul Newman som eventuellt undantag, kan tillskriva sin karriär den vaga och till synes naturliga egenskapen att vara, i brist på bättre ord, "ironiskt stilig".

Det är bara sett i backspegeln man kan påstå att Johnny Depps gestaltning i *Cry-Baby* var något som formade honom som skådespelare. Då hade man inte en aning om han bara var en tv-stjärna som haft tur – medverkan i en John Waters-film kan knappast ha gett Depp, eller hans agenter, en stark känsla för vilken av de befintliga karriärstigarna för unga skådespelare han skulle följa. En artikel om Depp i Movieline från 1990 ställer den skarpsinniga frågan angående skådespelarens utsikter efter *Cry-Baby*: "Borde en knoppande sexgud verkligen göra parodi på sig själv, före sin egen tid?"

Kritikerna fick åtminstone till slut upp ögonen för Depp. Även om de flesta av dem var besvikna på John Waters sockervaddsprodukt blev filmen en ekonomisk framgång och Depps prestation fick ensam en hel del av uppmärksamheten. Till exempel så kallade David Denby i New York Magazine Depp för "en väldigt smart, sensuell artist" och förutspådde, i enighet med Oliver Stone, Wes Craven och John Waters, att han skulle bli en stor filmstjärna. Depp skulle, förstås, till sist nå den upphöjda nivån, men att säga att han tog sig dit genom att undvika allfarvägarna skulle vara en enorm underdrift.

”Redan tidigt bestämde jag mig för att vara tålmodig och vänta på rollerna som intresserade mig, inte rollerna som skulle gynna min karriär. Jag har aldrig velat bli ihågkommen för att jag var en stjärna.”

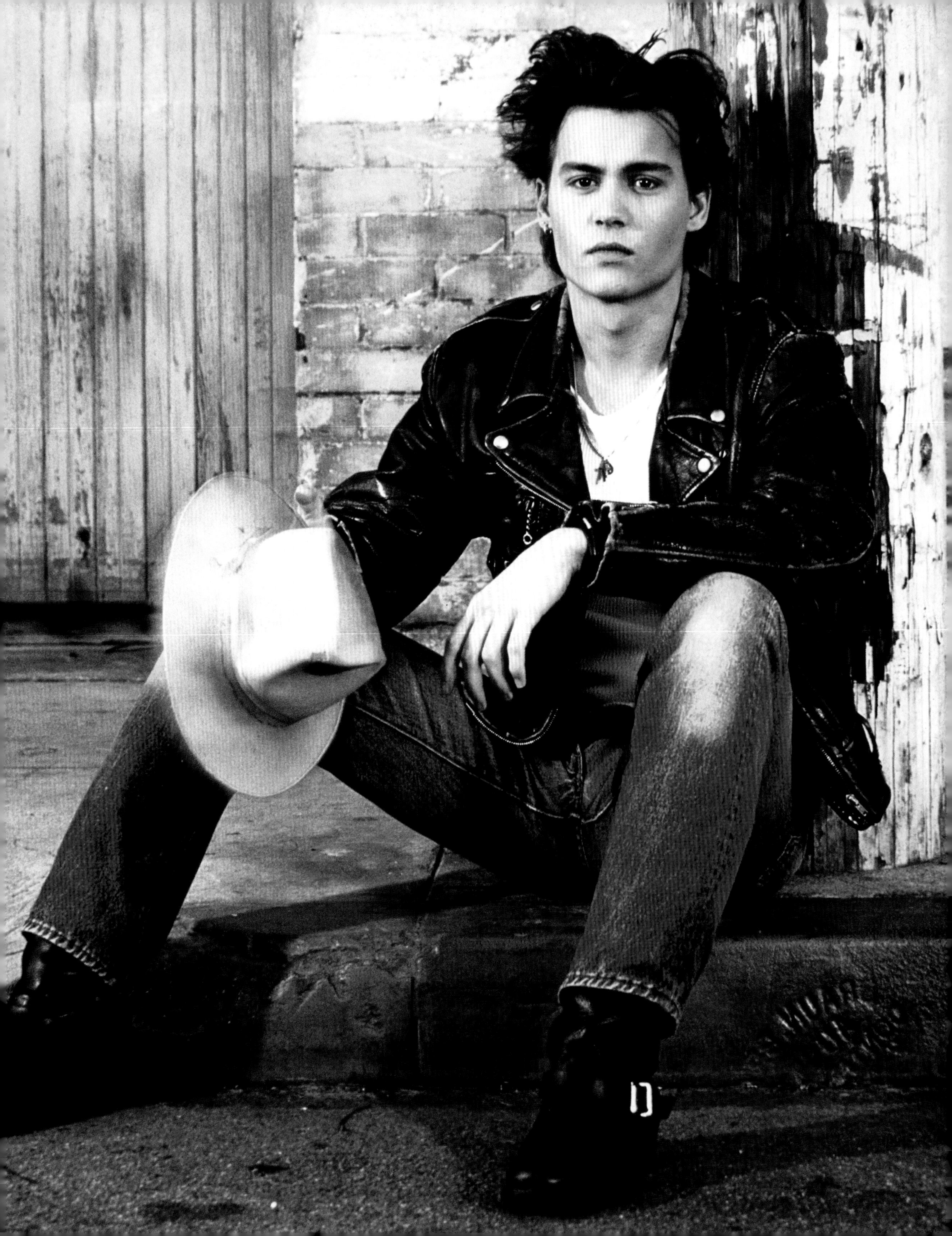

Edward Scissorhands

1990

”Jag älskar Edward. Han var fullkomlig uppriktighet. Uppriktighet är det viktigaste, och jag har en absurd fascination för det.”

"Jag kände inte Tim så bra. Han repeterade med alla, hela ensemblen, utom mig. Han repeterade inte med mig. Jag tror att han försökte hålla mig avskild från alla. Det var bra för mig och det var bra för filmen."

Tim Burton, Vincent Price och Johnny Depp i uppfinnarens slott med dess gotiska atmosfär. Härifrån lockas Edward av den vänligt sinnade Tupperwareförsäljaren Peg Boggs. *Edward Scissorhands* var det första av hittills åtta samarbeten mellan Depp och Burton.

Efter *Cry-Baby* - John Waters själsliga lavemang - gick Johnny Depp vidare med att arbeta med en fredlös regissör av ett helt annat slag, en man som skulle ge Depp den absolut viktigaste rollen i hans karriär och som så småningom skulle komma att, i biobesökarnas ögon, knytas till skådespelaren genom en bildlig navelsträng. *Auteuren* ifråga är, förstås, Tim Burton, vilken Depp hade ett första möte med i april 1989 på Bel Age Hotels kaffebar i L. A. Regissören hade sett Depp i *21 Jump Street*, men skådespelaren visste inte mycket om mannen som just hade skapat en global, kommersiell ångvält under namnet Batman. Oavsett fann de två varandra omedelbart, för att så småningom bilda den sortens långvariga arbetsrelation man så sällan ser i dagens Hollywood.

I sitt förord till intervjuantologin *Burton on Burton* förklarar Depp att "Tim behöver inte göra mer än ... att se på mig på ett visst sätt, och då vet jag vad han vill ha ut av scenen." I samma avsnitt berättar han om sin första reaktion på den manusversion av *Edward Scissorhands* som hans agent gav honom i slutet av 1989. "Jag läste manuset direkt och grät som ett spädbarn", skrev Depp. Men det krävdes inte bara en massa tid och arbete för att till sist lyckas lämna ett *Scissorhands*-manus vid Depps dörr - ett tag såg det ut som att manuset skulle få tyna bort i en låda.

Tim Burton gjorde regidebut 1985 med *Pee-Wees stora äventyr (Pee-wee's Big Adventure)*, en smått surrealistisk komedi baserad på det populära barnprogrammet som gjort sig känt för att även underhålla vuxna tittare med återkommande anspelningar av sexuell och *camp* natur. Filmversionen av *Pee-wee* - med Paul Reubens i huvudrollen som gossemannen i fluga - spelades in för bara 6 miljoner dollar, men tjänade sen in 40 miljoner inhemska dollar åt Warner Bros. Burtons nästa film *Beetlejuice*, ännu en Warnerproduktion, omvandlade en blygsam budget på 15 miljoner dollar till 75 miljoner i amerikanska kassaintäkter. Men ändå - när den här unga regissören, tidigare Disneyanimatör, fick ta över spakarna för Warners 35-miljonerssatsning på det sen länge

Efter att ha gjort en fantastisk formklippning av trädgården som omger slottet visar Edward sin nyupptäckta begåvning som hundtrimmare hos den ensamma hemmafrun Joyce (Kathy Baker).

slumrande Batman-varumärket ekade först filmstudion av en mängd skeptiska röster. *Batman* blev en internationell biosuccé och drog in över 400 miljoner dollar världen över, en enorm siffra som gjorde filmen till Warners största framgång någonsin, och säkrade en plats åt Burton i Hollywoods a-lag.

Trots att han bevisat sin förmåga att alkemiskt omvandla Warners pengar till jättelika sedeltravar var bolaget inte helt mottagliga när Burton deklarerade att hans nästa film skulle bli ett esoteriskt projekt under titeln *Edward Scissorhands*, en modern saga som han tänkt ut redan årtionden tidigare. ”Det är en gammal historia”, erkände han senare. ”Det är *Frankenstein*, det är *Phantom of the Opera*, det är *King Kong*.”

Av någon anledning bestämde sig Warners högsta ledning för att stå över detta relativt billiga erbjudande, och lät därmed guldgossen traska rätt ut ur studion. Oförfärad bildade regissören sitt eget bolag, Tim Burton Productions, tillsammans med Denise Di Novi, mest känd som huvudproducent för de senaste årtiondenas mest inflytelserika tonårskomedi, *Häxor, läxor och dödliga lektioner (Heathers)*.

Tim Burton anlitade själv romanförfattaren Caroline Thompson för att skriva manus till *Edward Scissorhands* och började med att visa henne ett fåtal av sina gamla skisser av huvudgestalten. Thompson ville anmärkningsvärt nog använda bilderna som sin enda utgångspunkt för manuset. Författarens första utkast var kusligt likt Burtons egen vision och omfattade alla de idéer han ville att filmen skulle ge uttryck för.

När det kom till att besätta filmens viktigaste roll var Johnny Depp Burtons förstahandsval. ”Tim trodde på mig”, mindes dissidenten från *21 Jump Street*. ”Han räddade mig från att bli en förlorare, en utstött, ytterligare en bit utbytbart Hollywoodkött.”

Burtons och Di Novis nybildade bolag saknade emellertid fortfarande pengar för att kunna inleda arbetet med *Edward Scissorhands* – till de båda kompanjonernas stora lättnad erbjöd sig Twentieth Century Fox att stå till tjänst med resten av filmens

"Den här rollen betydde frihet. Frihet att skapa, lära, experimentera och driva ut något ur mig."

budget på 20 miljoner dollar. Inspelningarna inleddes i en förortsstad i Florida där Burton lät måla en mängd radhus i pastellfärger i en tydlig parodi på stället där han växte upp – kaliforniska Burbanks trista förortsenklav.

Edward Scissorhands börjar med att Winona Ryder berättar, effektsminkad för att se ut som en gammal tant, en godnattsaga för ett av sina barnbarn. Det är sagan om Edward Scissorhands (Depp), en vetenskapligt framtagen yngling med saxskänklar i stället för fingrar. Han lever bortom det redan nämnda pastellfärgade ödelandet i ett säreget gotiskt slott, där hans isolering en kväll bryts av ett besök från en ambitiös Tupperwareförsäljare vid namn Peg Boggs (Dianne Wiest). Mrs Boggs glömmer snabbt sina plastprodukter när slottsporten öppnas för att avslöja en förbluffande syn: Johnny Depp klädd i ett punkigt, svart läderpansar, med saxskänklar där hans fingrar borde sitta och ett sargat, kabukivitt ansikte.

Peg känner instinktivt medömkan med denna varelse från en annan värld, skapad av en galen vetenskapsman (skräckfilmsikonen Vincent Price) som dog innan han kunde fullända sitt verk genom att ge pojken riktiga fingrar. Efter att ha beundrat Edwards andlöst vackert formklippta buskar envisas mrs Boggs med att locka honom ut ur hans isolation, ner till den "normala" förortsvärlden.

Tack vare Pegs välvilliga vägledning blir Edward accepterad av det lilla samhället där hans skicklighet som formklippare fyller invånarna med beundran. Beundran växer när han visar sin talang för att frisera grannskapets kvinnor och hundar. Ingen lägger direkt märke till att Edwards samröre med lokalbefolkningen oundvikligen leder till ömsesidig oförståelse. Genom hela filmen utstrålar Depp (vars repliker i filmen består av mindre än tvåhundra ord) stumfilmsstjärnans storögda elegans, en kvalitet som var avgörande för den påföljande, drastiska uppvärderingen av honom som skådespelare, och för hans omedelbara inträ-

Det dröjer inte länge innan Edward upptäcker att inte alla hans vänner i den "normala" världen är att lita på och drar sig därmed tillbaka till sitt tidigare hem.

de i Hollywoods panteon för de mest lovande unga stjärnorna. (Depps självsäkerhet fick ett enormt lyft under inspelningen av *Edward Scissorhands* då han fick ett telefonsamtal som bekräftade att han äntligen sluppit ifrån sin betungande plikt i *21 Jump Street*.)

Trots Edwards överflöd av aningslös charm fortsätter ett antal människor att betrakta honom med misstänksamhet, i synnerhet när han inleder en relation med Peg Boggs dotter Kim (spelad av Winona Ryder, då Depps flickvän i verkliga livet). Kims före detta pojkvän får ett svartsjukt vansinnesutbrott och när han sätter dit Edward för ett rån tar filmen - eller farmoderns godnattsaga - en otäck vändning.

I princip alla i grannskapet vänder sig mot Edward och de jagar - trots att de saknar traditionsenliga högafflar och facklor - tillbaka honom till hans ståtliga hemvist, där han tvingas att fortsätta sin tillvaro i ensamt majestät. Tim Burtons "gamla historia" fick starkt gensvar hos publik världen över och *Edward Scissorhands* lyckades plocka hem biljettintäkter på fenomenala 86 miljoner dollar.

Filmens förhandsmarknadsföring koncentrerade sig nästan helt på det regisserande underbarnet Tim Burton, men efter premiären belägrades Johnny Depp fullständigt av massmedia. För biobesökarna hade Depps skickliga och rörande porträttering av Edward Scissorhands avslöjat en ny, överraskande dimension hos den före detta *21 Jump Street*-stjärnan. Nu hade han etablerat sig själv som en sann filmstjärna och fått ett sådant erkännande att det gjorde honom i princip skottsäker under flera år framöver.

”Han ägde en ovillkorlig kärlek. Han var en fullkomligt ren, helt öppen rollgestalt, världens ömsintaste, men med ett otroligt farligt utseende – tills du ser hans ögon. Jag saknade Edward när jag var klar. Jag saknar honom verkligen.”

Depp och Winona Ryder var redan ett par när de spelade mot varandra i *Edward Scissorhands* – deras fyra år långa förhållande inleddes 1989.

Arizona dream

1993

”Allting har redan gjorts tio miljarder gånger och kan du åtminstone försöka göra något som är lite annorlunda så varför inte?”

”Jag var entusiastisk över att få jobba med Kusturica eftersom jag hade sett I zigenarnas tid *och det var bland det bästa jag någonsin sett.”*

I *Arizona dream* spelar Depp den fiskbesatta Axel Blackmar. När han landade den här rollen gav det honom möjlighet att på nära håll iakttta den respekterade bosniske regissören Emir Kusturica (vänster).

Under tidigt 90-tal gav sig Johnny Depp, som ännu badade i strålglansen från sin *Edward Scissorhands*, ut på en två års exercis under vilken han gjorde tre underliga och ganska betydelselösa filmer. Hade skådespelaren fortsatt ytterligare på den blombladsbeströdda vägen hade han lika gärna kunnat skaffa sig en stor tatuering med ordet ”knasboll” strax ovanför de omtalade orden ”Wino[na] Forever”. Det här är en period som antyder att ett väldigt dåligt omdöme var i farten, men som alltid skulle Depp på något vis lyckas återfinna sin balans, dra en kanin ur hatten och fortsätta kursen framåt, till synes utan karta.

Den första av de tre jobbigt bisarra filmer Depp gjorde under tidigt 90-tal var *Arizona dream*, en logikförnekande feberdröm filmad av den hyllade bosniske regissören Emir Kusturica. Kanske kan man frestas att likna Kusturicas företag vid don Quijote, men en sådan jämförelse får Cervantes påhittade olycksfågel att framstå som oändligt förnuftig.

Kusturicas goda internationella rykte var välförtjänt, och österopén råkade också äga en kuslig förmåga att tilltala domare vid de stora filmfestivalerna. 1985 vann regissören guldpalmen i Cannes med *När pappa var borta (Otac na sluzbenom putu)*, ett familjedrama som utspelade sig i 1950-talets Jugoslavien; 1989 gav festivalens domare Kusturica priset för bästa regi för hans tredje film, *Zigenarnas tid (Dom za vesanje)* och han skulle senare komma att få en andra guldpalm, 1995, för *Underground* – hans storslagna tretimmarsverk om efterkrigstidens Jugoslavien.

Även om alla dessa verk är lovvärda i egen rätt, har inget av dem något alls att göra med USA – så det var något överraskande att ett gäng franska investerare ansåg det klokt att låta regissören dansa till melodin av 17 miljoner dollar då han erbjöd sig att skapa vad som lät som en ganska dunkel tolkning av den amerikanska drömmen och dess tillhörande ikonografi. Men å andra sidan borde Kusturica under den här perioden ha insupit en ansenlig mängd amerikansk kultur som föreläsare vid New Yorks Columbia University. Idén som väckte inspirationen till *Arizona dream* – ursprungligen kallad *The Arrowtooth Waltz* – kom faktiskt från en av hans studenter, David Atkins, som i slutändan fick hela äran för filmens manus.

Så *vilken* är nu idén bakom *Arizona dream*? Det är frågan som fick kritiker att desperat skrapa ihop helt oförenliga tolkningar av filmen vid dess försenade USA-premiär 1995. En del framstående recensenter valde helt enkelt det lätta alternativet: sortera under ”magisk realism”. I New York Times kallade Janet Maslin filmen för ”ett psykologiskt slapstickdrama med en stor dos magisk realism”, medan Kevin Thomas i Los Angeles Times beskrev Kusturicas vision som ett ”kittlande, vågat stycke rövarhistoria, en tragikomisk *americana* frammanad med magisk realism”. (Det bör nämnas att *Arizona dream*, trots all den förvir-

ring den skapade, hade en rad supportrar bland Amerikas tongivande filmkritiker.)

Nyckeln till förståelse av Kusturicas allegoriska fiskedammslek fortsätter att vara lika undflyende två årtionden efter fullbordat faktum, vilket knappast kan överraska någon som läst det svärmiska babbel författaren kom med angående sitt första filmprojekt i den Nya världen. Regissören avslöjade att bland det som han funnit mest drabbande med USA var det faktum att det "alltid var bilarnas och filmernas land". Vagare än så blir det inte.

Johnny Depps rollgestalt i *Arizona dream* är en föräldralös tjugoåring vid namn Axel Blackmar, vars första scen för tankarna till – med dåtidens språkbruk – en slacker med en dragning åt det mystiska. Blackmar är en obetydlig tjänsteman anställd av New Yorks vilt- och fiskedepartement, för vilka han märker och släpper ut fiskar – *eller gör han det*? "De flesta tror att jag räknar fisk, men det gör jag inte", förklarar Axel. "Jag lyssnar på deras drömmar." Och där har man angett tonen.

Filmens "pådrivande händelse" – som man säger på Hollywoods manuskurser – är då den hotfulle drömmaren Paul (Vincent Gallo) med hjälp av en pistol övertalar Blackmar att fly ut till Arizona för att vara best man på Axels bilhandlande farbror Leo Sweeties bröllop. (Leo spelas av Jerry Lewis och det är hans första stora roll på vita duken sen 1983 då han spelade i *The King of Comedy*, Martin Scorseses klassiska, mörka dramakomedi.)

Det är först när Axel anländer till Arizona som denna egenartade films sanna natur börjar visa sig: med andra ord, Kusturica presenterar en parad av centrala rollgestalter, så hårdnackat excentriska att Johnny Depps solida närvaro ibland framstår som det enda som hindrar *Arizona dream* från att helt enkelt flyta iväg. Till exempel verkar Jerry Lewis – som farbrodern som ger den eteriske Axel Blackmar jobb som Cadillacförsäljare i sin firma – för det mesta tro att han spelar i en av de komedier han gjorde tillsammans med Dean Martin under tidigt 60-tal. Samtidigt spelar Faye Dunaway (som snart skulle komma att spela

mot Depp i *Don Juan DeMarco*) en förmögen före detta gruvägare vid namn Elaine Stalker, som är fast besluten att bygga ett likadant flygplan som Wrightbrödernas, och flyga det. Axel hjälper Elaine med det här tveklöst märkliga tilltaget och under tiden ställs han inför hennes begär efter hans unga kropp.

Den alltid lika olustiga Lili Taylor gör ett försök att spela Elaine Stalkers dotter Grace, och adderar därmed till sin samling av instabila unga kvinnor denna unika kuf som spelar dragspel för sina sköldpaddor (oftast ”Besame Mucho”) när hon inte, även hon, trånar efter Axel. Under en särskilt obekväm middagsscen får Graces obesvarade känslor för den stilige främlingen mor och dotter att flyga på varandra.

Arizona dream tog nästan ett år att färdigställa eftersom Emir Kusturica i början av 1992 – bara några veckor in i arbetet – drabbades av något som inte låter helt olikt ett nervöst sammanbrott. En del hävdade att det var på grund av hans stora arbetsbörda, men den mer sannolika förklaringen är att regissören fann det omöjligt att fortsätta arbeta efter att han hört att Bosnien-serbiska styrkor var på väg att belägra Sarajevo. (Illavarslande nog bröt Bosnienkriget ut i samma stund som filmens förproduktionsfas inleddes.)

Kusturicas frånvaro vid inspelningen av *Arizona dream* tvingade filmens finansiärer att överväga att anlita en ny regissör som kunde föra projektet i hamn. Med en solidaritet som sällan skådas i filmbranschen förkastade ensemblen enhälligt idén och svor att vänta tills regissören kunde inta sin plats bakom kameran igen. Efter tre månaders avbrott återupptog Kusturica arbetet och färdigställde *Arizona dream*, som sluter cirkeln med ett av filmens återkommande motiv: en drömsekvens där Johnny Depp får visioner av eskimåer, huskies, slädar, Alaska och nyfångad hälleflundra. Depp och Jerry Lewis spelar upp en scen som nästan hade kunnat platsa i en klassisk komedi med Lewis och Dean Martin: klädda som eskimåer pladdrar de med varandra på något som vagt påminner om inuitspråk. (I vissa versio-

Axel hjälper den excentriska, blivande flygaren Elaine Stalker (Faye Dunaway) att förverkliga sina planer. När regissören tvingades pausa i filmandet var det själva filmen som blev hängande i luften.

ner av filmen avslöjar undertexterna att de är uppslukade av ett djupt filosofiskt samtal.)

Det är knappast rättvist att mäta en film som *Arizona dream* med den vanliga ekonomiska måttstocken eftersom den släpptes sporadiskt runt om i världen, och den visades bara på tre biografer i USA två år efter den första Europapremiären. Eftersom ett stort antal franska cineaster fortfarande betraktar Jerry Lewis som någon sorts halvgud är det allmänt känt att filmen gick ganska bra i det landet. Likväl kan man nog lugnt påstå att få personer utanför Frankrike skulle hävda att Kusturicas tolkning av den amerikanska drömmen var särskilt tillfredsställande på någon nivå. Men å andra sidan så gav *Arizona dream* regissören juryns specialpris under Berlins internationella filmfestival 1993.

Arizona dream släpptes inte i Storbritannien förrän i mitten av 1995 och samtidigt axlade Vincent Gallo en del PR-plikter, även om han bara spelade en av birollerna. Gallo är en obstinat och högljudd veteran från 1970-talets punkscen i New York och har som medelålders hipster blivit känd för att med rapp tunga ge uttryck för högerextrema åsikter (och det var han som släppte en låt med titeln ”I Wrote this Song for the Girl Paris Hilton”). Solidariteten som ensemblen hade visat under arbetet med filmen var nu tydligen något i det förflutna eftersom Gallo valde att bryta skådespelarens motsvarighet till *omertà*. Han erbjöd, frivilligt, i en intervju i The Guardian en ovanlig analys av sin gamla vän och motspelare i *Arizona dream*, Johnny Depp. (Journalisten ifråga hade förresten utropat *Arizona dream* till ett mästerverk.)

Gallo menade att ”Det sorgliga med Johnny Depp är att fasaden – den populära tv-stjärnan-som-blev-värsting-och-luffarromantiserande-hipsterkompis-till-Jim-Jarmusch – är fullkomligt ointressant ... Om han bara kunde tillåta sig själv att vara den han verkligen är, en traumatiserad person fast i sin barndom och sitt känsloliv, då skulle han bli intressant, en fantastisk person, en fantastisk begåvning. Han är en av de roligaste, mest begåvade, älskvärda, rara, genuina människor jag någonsin träffat.”

Benny & Joon

1993

”Jag njöt av slapsticken i filmen, även om jag slog mig lite.”

Depp spelar Sam, en excentrisk ensamvarg som skapar ett förhållande med den instabila Joon.

"Det var så roligt att få återupptäcka Keaton, Chaplin och Harold Lloyd. Komedier, särskilt när de är så där fysiska, är verkligen krävande. Jag fick till och med ännu större respekt för de där killarna när jag försökte åstadkomma samma sak som de gjorde till synes utan ansträngning."

Depps nästa film, *Benny & Joon*, var ännu ett stycke så kallad *americana* med en utlänning vid spakarna. I det här fallet kunde regissören åtminstone göra anspråk på att komma från den amerikanska kontinenten: kanadensaren Jeremiah Chechik är en före detta reklamfilmsregissör vars enda merit inom den amerikanska filmindustrin var regin bakom 1989 års hit, komedispektaklet *Ett päron till farsa firar jul (National Lampoon's Christmas Vacation)*, en rejäl klump med amerikanskt smör.

Originalmanuset till *Benny & Joon* togs fram i samarbete med före detta cirkusclownen Barry Berman, som präntade ner manuset på egen hand. Trots sitt ovanliga ursprung betraktades Bermans manus som ett hett byte i Hollywood när det fångades upp av Metro-Goldwyn-Mayer, och bland de som nämndes som eventuella medverkande fanns Tom Hanks och Julia Roberts, samt Tim Robbins och Susan Sarandon. Till sist var det Johnny Depp och Mary Stuart Masterson som skrev på för *Benny & Joon*. De ersatte skådespelarna som från början fått filmens två huvudroller, Woody Harrelson och Laura Dern. Det senare paret sägs ha övergett filmen av skälet att de båda ansåg att de förtjänade roller i mycket större filmer.

Masterson spelade Joon och rollen som hennes bror, den samhällsstöttande verkstadsägaren Benny, gick till den hedervärda Aidan Quinn. Depp fick rollen som Sam, som i slutändan har en avgörande betydelse i de båda syskonens liv, särskilt i Joons.

En av de saker som gjorde att Depp drogs till *Benny & Joon*

var Sams fixering vid stumfilmskomediernas ikoner, främst Charlie Chaplin, Harold Lloyd och Buster Keaton. Depp vördade de här skådespelarna på liknande sätt och innan inspelningarna satte igång tillbringade han över en månad med att studera hundratals timmars stumfilm. Han tränade dessutom med Dan Kamin, koreografen som anlitades för 1992 års biografifilm *Chaplin*. Om nu någon skulle råka missa Depps många visuella hyllningar till stumfilmseran – och i synnerhet till Keaton – visar Chechik hur Sam läser en bok med titeln *The Look of Buster Keaton* när eftertexterna rullar.

Sam är en dyslektisk, tystlåten ensamvarg som inleder en kärleksrelation med Joon, en mentalt instabil ung kvinna vars egendomliga uppträdande bland annat innebär att strutta omkring i en dykardräkt som om det vore vanliga kläder. Bland Joons mindre ofarliga böjelser finns en svaghet för att starta bränder, något som kanske eller kanske inte låg bakom den eldsvåda som tog livet av båda hennes föräldrar.

Sam förbrukar inte många ord under uppvaktningen av Joon, han föredrar att vinna hennes hjärta med olika komiska knep som han har lärt sig av sina älskade stumfilmer. Som så ofta ger Depp intryck av att stå en liten bit vid sidan om resten av filmen, även om hans rollgestalt har sin egen beskärda del av nyckfullt beteende: i en scen får vi se honom ta ett bad, helt påklädd.

Allteftersom romansen mellan Sam och Joon rullas upp på duken blir det uppenbart att en relation som bygger på en så skakig grund inte kan ge det lyckliga slut som Hollywoodhöjdarna så desperat begär. Det blir tydligt för Sam – och ännu mer för Joons bror Benny – att flickvännens beteende är lite mer än bara excentriskt, och att det här är en person som inte ens kan hoppas på att upprätthålla något som påminner om en normal tillvaro.

Samtidigt som han agerade i denna romantiska sufflé var Johnny Depps sinne allt annat än lätt eftersom hans relation med Winona Ryder var på upphällningen. Det var ungefär vid den här tiden som Depp började prata om sin vana att ”förgifta” sig eller ”medicinera” sig själv för att hålla verklighetens obehag-

I rollen som en Buster Keaton-imitatör fick Depp möjlighet att finslipa sina färdigheter inom visuell komedi, och här återuppför han Chaplins bröd-dans från *Guldfeber (The Gold Rush)*.

Både på och utanför duken var Johnny Depps kärleksliv kaosartat.

liga inslag på avstånd. Enligt honom själv tog hans medicin i de flesta fallen formen av alkohol, men på senare år har ofta svävande anspelningar till droganvändning under hans tidiga vuxenår förekommit. Vid några av de sällsynta tillfällen då han har diskuterat ämnet lite närmare har han avslöjat – åtminstone enligt en sensationslysten skvallertidning i Storbritannien – ett flyktigt tycke för opium (en substans så ovanlig att man sällan hör den ens omnämnas i modern tid). Depp har oftare talat om kokain och vidhållit att han avskyr dess tandagnisslande nyttolast av ”syntetisk lycka”.

Hur gåtfull Johnny Depp än verkar vara så tycks hans medarbetare genom karriären eniga om att han genomgående är en av de mest professionella toppskådisar som finns. Med andra ord, vilka medel han än må ha använt för självmedicinering under inspelningen av *Benny & Joon* så påverkade de inte kvaliteten på hans dagsverke.

Trots sin brist på glättig upplösning fick *Benny & Joon* i allmänhet bra recensioner när den släpptes, och uppförde sig respektabelt i biljettkassorna. Samtidigt kunde Johnny Depp njuta av den personliga bonusen att bli nominerad till en Golden Globe för bästa filmskådespelare (komedi/musikal). Tja, det är svårt att säga ifall ”njuta” är det rätta ordet – det skulle ännu dröja innan Depp fick styr på såväl kärleks- som arbetsliv, vilket betydde att ”perioden av självmedicinering” var långt ifrån över.

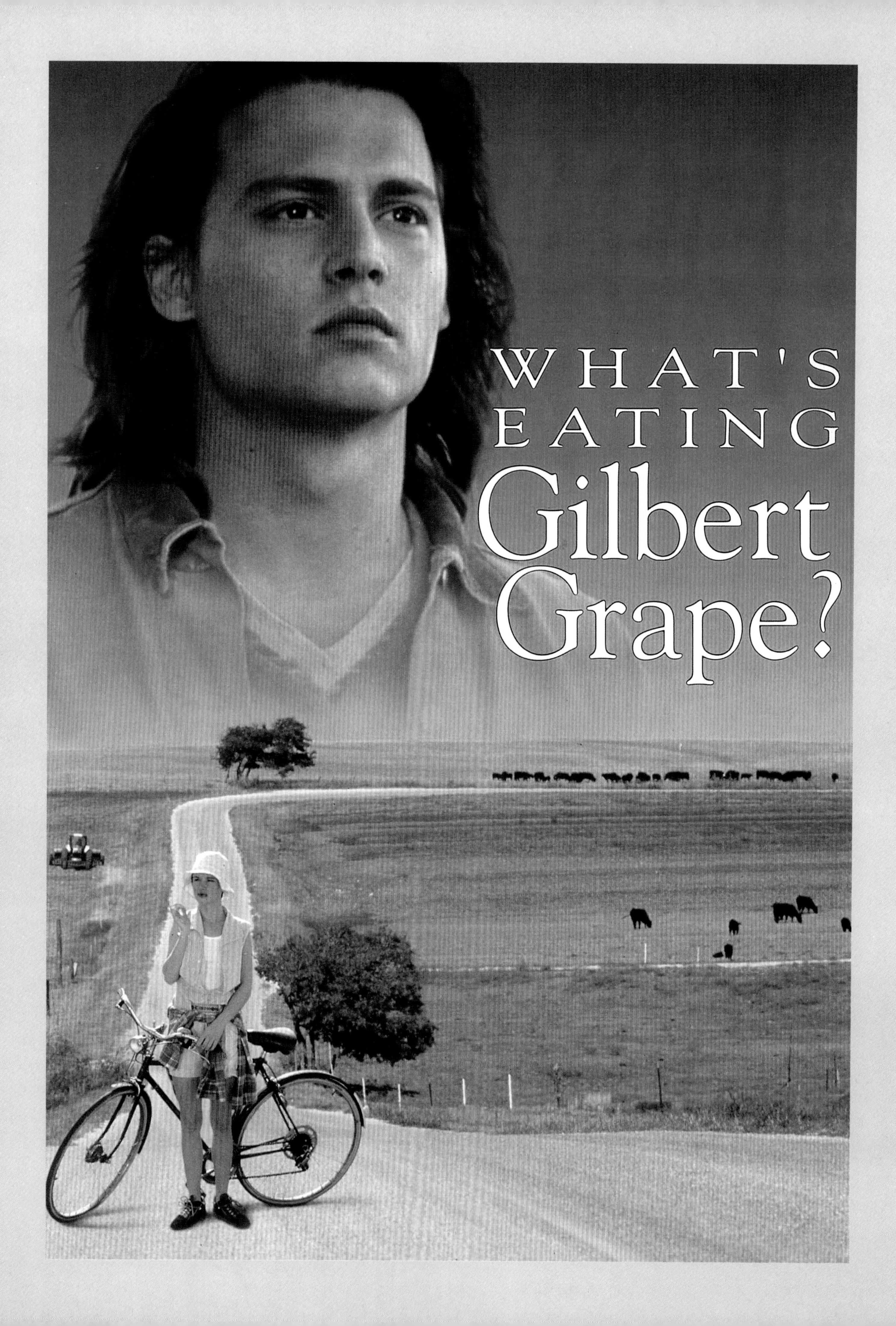
WHAT'S
EATING
Gilbert
Grape?

Gilbert Grape

1993

”Gilbert kunde verka vara en ganska normal kille, men jag var intresserad av vad som pågick under ytan, bland all fientlighet och ilska som han bär på.”

Vänster: Medurs från vänster, Laura Harrington, Johnny Depp, Juliette Lewis, Darlene Cates, Mary Kate Schellhardt och Leonardo DiCaprio.

Den tredje och sista delen av Johnny Depps ”småstadstrilogi” var *Gilbert Grape (What's Eating Gilbert Grape?)* – och om nu Depp gick omkring och trodde att han hade någon form av flyt med de här tre verken så började, i omvärldens ögon, just det flytet snarare se misstänkt mycket ut som en rad bakslag. *Gilbert Grape* hade mycket gemensamt med Depps två tidigare filmer: en utländsk regissör, mentalt tilltufsade rollgestalter och massvis av excentrisk ”lokal färg”. Och ännu mer relevant: alla tre filmerna visade Johnny Depp i passiva roller.

Depp hade under flera år varit tydlig med att han medvetet undvek den sortens förutsägbara manliga huvudroller som normalt var standard för skådespelare med hans kombination av utseende och förmåga – men genom att välja att arbeta i marginalen och spela så många kraftlösa roller riskerade den som Hollywood tidigare ”hållit ögonen på” att falla in i en annan lika förutsägbar stereotyp på andra änden av skådespelarspektrumet. Med det sagt så har man ändå alltid kunnat lita på att Depp sätter sin egen prägel på varje film, hur tunt grund-

”Jag förstår känslan av att vara fast på ett ställe, oavsett om det är geografiskt eller känslomässigt. Jag kan förstå den arga längtan efter att helt få fly därifrån och från alla och allt du känner till och starta ett nytt liv.”

Med en frånvarande far försörjer Gilbert sin mor Bonnie (Darlene Cates), ovan, och sin yngre bror Arnie (Leonardo DiCaprio), längst till höger, samtidigt som han hinner inleda en romans med den fria själen Becky (Juliette Lewis), i mitten.

materialet än är, och han har lyckats berika flera vansinnesprojekt med en anständighet de knappast har förtjänat.

Gilbert Grape – som på intet sätt ingår i den senare kategorin filmer – bygger på en roman med titeln *Varför deppar Gilbert Grape?* (på engelska har romanen och filmen samma titel: *What's Eating Gilbert Grape?* Ö. a.), av Peter Hedges, som också skrev manus. Hedges bok filmades av Lasse Hallström, som fick sitt genombrott med filmen *Mitt liv som hund* i Sverige 1985 innan han sex år senare gjorde debut i Amerika med den mindre imponerande romantiska komedin *Once around – mannen som inte passade in (Once Around)*.

Hallström hade turen att i sin *Gilbert Grape*-ensemble finna två av sin tids mest enastående unga skådespelare – Johnny Depp och den artonåriga Leonardo DiCaprio, som hade visat sig vara en betydande utmanare i och med det psykologiska familjedramat *En främling i familjen (This Boy's Life)* från 1993. I *Gilbert Grape* spelar DiCaprio Depps lillebror som lider av en ospecificerad mental störning som bär vissa likheter med autism. Pojkarnas mamma, Bonnie, spelas av Darlene Cates, en 200-kilos amatörskådespelare som Peter Hedges upptäckte när han såg ett avsnitt av *The Sally Jessy Raphael Show* med temat övervikt. Lyckligtvis för alla inblandade, hedrar Cates Hallströms film med en rörande och naturalistisk gestaltning.

Gilbert Grape spelades in mellan februari och april 1993 på platser i Austin, Texas, som skulle kunna vara den fiktiva småstaden Endora, ett ställe där ingenting händer. För Depps rollgestalt innebär "ingenting" att arbeta i en mataffär för att försörja sin immobila mamma (som han jämför med en "strandad val") och sin yngre bror, vars underliga tvångstanke att klättra upp i det lokala vattentornet till slut får honom gripen av polisen. Gilberts sönderfallande existens skakas om då den märkliga unga tjejen Becky (spelad av den 19-åriga supernovan Juliette Lewis) tillfälligt strandar i Endora och inleder en kärleksaffär med honom.

Det romantiska mellanspelet med Becky har en upplivande effekt på Gilbert, att döma av hans reaktion på mammans inte

Motstående: Porträtt av Albert Sanchez för Movielines *Hollywood Life*, november 1992.

helt oväntade död mot slutet av filmen. Efter att Gilbert har råkat höra hur några tjänstemän gnäller om det riskfyllda avlägsnandet av mrs Grapes överdimensionerade lik från familjens bostad så avlägsnar han omsorgsfullt varje värdefullt föremål innan han lugnt förvandlar huset till ett improviserat likbål.

Om man ska tro inspelningsplatsskvaller var Depps sinne inte så mycket lättare än sin rollgestalts. Skådespelarens förhållande, som till stor del varit på distans, med Winona Ryder var nu tydligt i ett avslutande skede, en situation som föste Depp in i ytterligare självmedicineringsperioder. Men det verkade som att han ännu en gång lyckades att grovt misshandla sin kropp utan att göra avkall på sin höga arbetsmoral.

En person i ensemblen som fängslades av Depps gåtfullhet var författaren Peter Hedges, och han lade märke till att Depp i sitt arbete hade ”ett nästan brinnande begär att göra frånstötande val”. Regissören Lasse Hallström hade sin egen syn på Depp, fast vi kommer aldrig att veta säkert vad svensken menade när han sa: ”[Depp] hör hemma på ett bättre ställe. Han är verkligen ambitiös, men han är väldigt rädd för att betraktas som pretentiös.”

Leonardo DiCaprio fick en Golden Globe för sin rollgestaltning i *Gilbert Grape* och senare också en Oscar för bästa biroll – vilket än en gång tycktes bekräfta den allmänna misstanken att juryn alltid kommer att rösta på skådespelare i roller med något slags handikapp. Ser vi bortom sådana förutsägbara iakttagelser så tjänade *Gilbert Grape* till att understryka en talande skillnad mellan Depp och DiCaprio, som sen dess gjort karriär genom att metodiskt hålla sig mest till en högkvalitativ, prestigefull repertoar och de mest väletablerade medarbetarna. Johnny Depp är antagligen lika medveten som alla andra om att det har funnits tillfällen i hans egen karriär då han kunde ha valt en väg liknande DiCaprios, men om Depp känner någon som helst ånger över att ha följt sin magkänsla så förtjänar någon som kan dölja sådana tvivel så väl, och så länge, att officiellt utnämnas till den ”bästa skådespelaren i sin generation”.

”Du vet, framgång är ett märkligt ord. Det fick mig att känna mig ännu mera missanpassad, ännu mera konstig.”

ED WOOD

optimistisk, oskyldig
och som en briljant
showman på en
och samma gång.”

Ovan: "Wow, jag är med!" Depp behövde ingen övertalning för att slå sig ihop med Tim Burton en andra gång.

Motstående sida: Ännu en lyckad tagning för "världens sämsta filmskapare".

Som så ofta med Tim Burton tog han inte den närmaste vägen till sitt nästa samarbete med Johnny Depp. Innan Burton gjorde sin underliga filmbiografi över "världens sämsta filmmakare" Ed Wood för Walt Disney, var det egentligen tänkt att auteuren bakom *Edward Scissorhands* skulle regissera filmen för Columbia Pictures parallellt med ett annat, mer prestigefyllt åtagande – *Mary Reilly*, som visade en ny sida av den många gånger berättade historien om dr Jekyll och mr Hyde. Filmen var en omarbetning av en roman i vilken den goda/onda duon skildras genom dr Jekylls hushållerskas ögon, en roll som Burton hade öronmärkt åt Johnny Depps före detta kärlek Winona Ryder. Efter att under två år ha arbetat med *Reilly*-projektet för Columbia slutade det med att Burton hamnade i konflikt med bolaget som hade beslutat att de skulle försöka minimera dess ekonomiska utsatthet genom att ge titelrollen till Julia Roberts, mainstreamskådespelaren personifierad (även känd som "America's Sweetheart"). För att göra ont värre vägrade bolaget bestämt att låta Burton filma *Ed Wood* i svartvitt, och inte heller gav de honom den kreativa frihet han kände att han förtjänat efter sin ihållande framgång i biljettkassorna. Regissören, som misstänkte att Columbia bara hade tagit sig an *Ed Wood* för att kunna säkra hans insats för *Mary Reilly*, sa adjö på direkten.

Bara en månad innan inspelningarna skulle börja fick *Ed Wood* göra en helomvändning, i betydelsen att förproduktionen stoppades, och all egendom gjordes tillgänglig för det bolag som gick med på att ersätta de investeringar Columbia hade gjort i projektet

fram tills dess. När detta läckte ut blev i stort sett vartenda större bolag angeläget om att ta sig an *Ed Wood* och att få arbeta med en av den här tidens mest kommersiellt framgångsrika unga regissörer. Filmen hamnade dock hos Burtons tidigare arbetsgivare Disney, under bolagets Touchstone-del, som ställde upp med en budget som motsvarande Columbias på 18 miljoner dollar.

Det var regissören Michael Lehmann *(Häxor, läxor och dödliga lektioner; Hudson Hawk)* som fick Burton att betrakta Ed Woods livsberättelse som potentiellt filmämne. Lehmann hade i sin tur fått idén från ett par kollegor från hans avgångsklass på USC:s filmskola, Scott Alexander och Larry Karaszewski, som – otroligt nog – hade skrivit de två första *Satungen*-komedierna *(Problem Child)*. Även om Ed Woods skrala livsverk var nästan omöjligt amatörmässigt, hade transvestiten och den före detta marinsoldaten (som tog värvning omedelbart efter Pearl Harbor och uppnådde korprals grad) på senare tid gett upphov till något av en kult bland filmsnobbarna. Det berodde, i sin tur, till största del på *Nightmare of Ecstacy*, Rudolph Greys intervjubok

"Det här är en hyllning. En väldigt märklig hyllning, men ändå respektfull."

När han väl hade gått med på att spela den uträknade skräckfilmsidolen Bela Lugosi gav sig Martin Landau i kast med rollen med en hängivenhet som skulle komma att ge honom en Oscar.

om Woods liv, till vilken Burton hade köpt rättigheterna på option för 250 000 dollar. Grunden för Wood-vurmen lades av en handbok i dålig film från 1980, där den avlidne regissörens *Plan 9 from Outer Space* (1959) officiellt utnämdes till den "sämsta film som någonsin gjorts".

Tim Burton hade från början bara tänkt vara producent för Wood-filmen, med regi av Michael Lehmann. Men, projektet återuppväckte minnen i Burton av hur han som lättpåverkad yngling i Burbank såg Woods hafsverk på tv, och hans växande identifikation med ämnet för filmen sporrade honom att regissera *Ed Wood*. Så Lehmann fick producera. "Vem vet, imorgon skulle jag kunna vara Ed Wood", påpekade Burton vid ett tillfälle.

Under de sex veckor som Scott Alexander och Larry Karaszewski arbetade på sitt första utkast till *Ed Wood*-manuset vände sig Burton till sin förutvarande protegé och samarbetspartner Johnny Depp för att erbjuda honom filmens huvudroll. "Han sa, 'Det finns inget manus'", mindes Depp. "Och jag sa 'Wow, jag är med!'" Depp blev ännu mer entusiastisk när Burton återgav Ed Woods livshistoria för honom. Eftersom den unge skådespelaren aldrig hade hört talas om den här killen Wood kontaktade han regissören till *Cry-Baby*, John Waters, som gladeligen spelade upp Ed Woods bästa verk för sin tidigare huvudrollsinnehavare. Och så kom det sig att regissören bakom *Plan 9 from Outer Space*, fyra år efter *Edward Scissorhands*, bidrog med den andra definierande rollen i Depps ombytliga Hollywood-karriär.

Tim Burton koncentrerade sig nu på nästa bit av *Ed Wood*-pusslet, vilket innebar att få med en man trettiofem år äldre än Depp på resan. Burton hade bestämt sig för att skådespelaren Martin Landau, veteran inom tv och film, var den enda som kunde spela rollen som den före detta skräckfilmsikonen Bela Lugosi, vilken Wood anlitade och blev vän med under Lugosis sista år då han levde i skymundan utan att mycket annat förknippades med hans namn än ett morfinberoende.

Landau var långt ifrån lika entusiastisk till att skriva på för

Även om den var långt ifrån en kassasuccé gjordes *Ed Wood* till en kostnad av 18 miljoner dollar, vilket är trehundra gånger budgeten för huvudpersonens mest kända film, *Plan 9 from outer space.*

Tim Burtons senaste vågstycke som Johnny Depp hade varit, mest för att han inte tyckte sig se någon som helst fysisk likhet mellan sig själv och Lugosi. Burton frågade Landau om han gick med på att låta sminkören Rick Baker försöka komma förbi detta hinder. Efter att ha arbetat med Baker, och provfilmat lite med Burton, gick Landau med på att delta i *Ed Wood*. För att fånga Lugosis särskilda tonfall och rörelsemönster fördjupade han sig i skådespelarens gamla filmer och visade därmed ett engagemang av den gamla skolan som slutligen skulle ge full utdelning.

Johnny Depp fortsatte att odla en vana att modellera rollgestalter efter minst en osannolik offentlig person: Depp tyckte sig ha glimtat någonting liknande Ed Woods galopperande optimism under sin tid på *21 Jump Street*, då han hade närvarat vid en anti-drogtillställning i Vita huset, och som hastigast träffat presidenten Ronald Reagan. Tim Burton hjälpte till med några egna förslag, nämligen Trollkarlen från Oz, Mickey Rooneys rollgestalt Andy Hardy samt den legendariska radiopersonligheten Casey Kasem. I uppvaknandet efter sin småstadstrilogi beskrev Depp Ed Wood som ”ett friskt andetag”, och han satsade allt han hade på att återskapa Woodklassiker som *Glen or Glenda*, där Wood spelar både den manliga och den kvinnliga huvudrollen. Senare, i en Film Threat-intervju med manusförfattarna till *Ed Wood*, Alexander och Karaszewski, sa Depp: ”Det är första gången som jag faktiskt ser fram emot att se något jag är med i … det kändes som ett stort lyft från all annan skit jag har gjort.”

Depps gestaltning av Ed Wood – en man som aldrig var med om en första tagning han inte gillade – var den mest begåvade och knipsluga dittills i hans karriär. Hängivet står han emot alla frestelser att göra så mycket som en enda gest eller anmärkning som skulle kunna få åskådaren att tro att Depp på något vis ”deltar i skämtet”. Även om hans Ed Wood kanske bar ett krampaktigt leende så länge filmen varade (och under flera veckor efter, tydligen), så betraktade varken han eller Tim Burton detta åtagande som ett skämt. Som den senare sa till New York Times:

"Jag var hängiven, fullkomligt hängiven. Jag kände redan till Woods filmer. Jag visste att ingen kunde berätta hans historia bättre än Tim. Tims passion blev min passion."

Spelar rakt av: Depps vägran att jaga lättköpta skratt i rollen som den filmfrälsta transvestiten resulterade i en rörande, respektfull – och väl mottagen – framställning. Här, med Sarah Jessica Parker (vänster) och Martin Landau (motstående sida).

Nästa uppslag: På en PR-fest för *Ed Wood*, Cannes, maj 1995.

"Det finns någonting vackert hos någon som gör vad den älskar att göra, även om det är omdömeslöst, och som fortsätter att vara optimistisk och munter mot alla odds."

Precis som Johnny Depp visar med sitt porträtt, fortsätter Ed Wood att vara maniskt positiv i varje tänkbar motgång, och även i några som - trots att de plockats från en verklighetsbaserad bok - är i stort sett otänkbara. Wood mimar med sina skådespelare när de framför hans skrattretande dialog, finner sig glatt i den mest förskräckliga dekor som någonsin fastnat på en filmremsa och förblir omedveten om de skumma typer som dras till hans filminspelningar. Och även på det personliga planet - när Wood bjuder ut den avskyvärda tv-värdinnan Vampira (spelad av Burtons dåvarande flickvän Lisa Marie) på en dejt, svarar hon: "Jag trodde att du var bög." Oberörd svarar Wood sakligt: "Nejdå, jag är bara transvestit."

Burton och Depp lyckas koka ihop en film som tycks segla på ett moln av Woods älskade angora, och som drar upp gränserna för ett ystert rike utanför biografifilmens vanliga, vardagliga ramar. Verkets sanna kärna är dock relationen mellan Wood och den borttynande Lugosi, vilken ger Johnny Depp och Martin Landau utrymme att skapa några helt enastående ögonblick. Och så den lilla bonusen Bill Murray, som svassar över duken som Woods lärjunge Bunny Breckinridge som inte nöjer sig för-

rän han har fått sin könsbytesoperation.

Tim Burton erkänner glatt att sanningsanspråk inte var något han fäste sig vid när han skapade *Ed Wood*. Till exempel så speglar filmens unga, renskrubbade birollsinnehavare (däribland Patricia Arquette och Sarah Jessica Parker) inte på något vis den brokiga verklighet som var Woods egentliga miljö. ”Jag är övertygad om att de här människorna var mycket rysligare än jag valt att porträttera dem”, medgav regissören, men ”de har förlöjligats hela sitt liv och det tänker jag då rakt inte utsätta dem för.” Burton gör Wood en stor tjänst genom att avsluta filmen innan hans centralgestalt gick in i ett utdraget förfall där han gjorde lågbudgetporr, blev alkoholist och dog utblottad 1978, vid en ålder av 54. Som en ytterligare vänlighet inkluderar Burton även en tekniskt avancerad scen där Ed får ett kärvt uppmuntringssnack av sin idol Orson Welles.

Strax innan filmens premiär pep en kritiker om att *Ed Wood* var ”förutbestämd att bli världens dyraste kultfilm”. På detta skulle Tim Burton med all säkerhet ha svarat ”Jag vet – visst är det härligt!”. Det är värt att stanna upp lite här, bara för att fundera över hur mycket filmindustrin förändrades de två följande årtiondena, och hur osannolikt det skulle vara att något av de stora bolagen skulle kasta 18 miljoner dollar på ett projekt av så marginellt intresse.

Även om *Ed Wood* gjorde dåligt ifrån sig i de inhemska biljettkassorna skötte den sig långt bättre på andra sidan Atlanten och det mesta som sades i recensioner var berömmande – särskilt Depp och Landau fick ta emot översvallande hyllningar. För dem som kan den hollywoodska obduktionen finns det en handfull bjärt uppenbara faktorer som kan förklara filmens ekonomiska tillkortakommande: att Burton insisterade på att filma i svartvitt, till exempel, eller ämnets grundläggande svårfattlighet; för att inte nämna den begränsande ”R”-klassificering som filmen fick på halsen. Konstigt nog tillämpades klassificeringen inte på grund av några explicit osedliga inslag, utan på grund av Bela Lugosis hädiska dialog. Vid ett tillfälle gör någon misstaget att nämna hans tidigare rival Boris Karloff, Bela får ett vredesutbrott och vrålar: ”Han är inte värdig att ens lukta på min skit!”

Martin Landau kom att vinna sin första Oscar för sin rollprestation i *Ed Wood*, och Rick Bakers makeup-team hyllades på samma vis. Tim Burton själv fick inte akademiens erkännande och *Ed Wood* var en av hans sällsynta kommersiella nederlag. Men sådana tråkigheter påverkade knappast hans växande betydelse som regissör. Under tiden hade Columbia gett Julia Roberts rollen i *Mary Reilly* och ersatt Burton med den engelska regissören Stephen Frears. Gjord till en kostnad av nästan 50 miljoner dollar tjänade *Mary Reilly* in cirka 12 miljoner, brutto, världen över.

”De två saker jag fick ärva av mina föräldrar är galenskap och kedjerökning.”

Don Juan DeMarco

1994

”Utmaningen för mig var att skapa en rollgestalt som var en gnutta knasig och ädel, men älskvärd. Jag behövde skapa någon som har en stark självkänsla, men som ändå är vilsen.”

När roman- och manusförfattaren Jeremy Leven fick höra att Johnny Depp var intresserad av att spela titelrollen i hans regidebut – med den ursprungliga titeln *Don Juan and the Centerfold* – trodde han att alla hans böner hade blivit besvarade. Men när Leven sen meddelades att Depp bara gick med på att göra filmen om dess producenter fick Marlon Brando att skriva på som motspelare måste den aspirerande regissören ha känt sig som ett offer för ett grymt, kosmiskt skämt.

Brando var trots allt vid den här tidpunkten en halvpensionerad sjuttioåring, och hade medverkat i blott fyra, icke minnesvärda filmer sen sin jordskalvsprestation som överste Kurtz i *Apocalypse now* 1979. För varje år som gick verkade den amerikanska filmkonstens före detta gudom bli alltmer avskuren från omvärlden och alltmer – vilket hans projekt efter 1979 visar – excentrisk.

Men å andra sidan hade Brandos ikonstatus knappast kullkastats av den senare tidens prestationer, något som Johnny Depps önskan att få arbeta med honom bevisar. Genom att obevekligt förfölja den äldre skådespelaren via telefon och post spelade Depp en avgörande roll i det till synes omöjliga konststycket att snärja Brando i en fluffig romantisk komedi skriven och regisserad av en novis inom filmen. (Senare skulle Depp skämta om det: ”Jag kanske börjar med rollbesättning nu.”)

Jeremy Levens sysselsättning innan han regisserade *Don Juan DeMarco* hade varit ett litet projekt som grundare av en satirisk teatergrupp ”off-broadway”, tv-serieregissör av mindre betydelse, romanförfattare (med två filmbearbetningar i bagaget) liksom en pågående anställning inom psykiatrin. När New Line Cinema visade intresse för att lägga Don Juan DeMarco till sin produktionslista envisades Leven, något övermodigt, med att han bara tänkte gå vidare om bolaget lät honom regissera filmen. Man får förmoda att det var Levens blygsamma scen- och tv-erfarenheter som övertygade New Line att ta en chansning och göra honom ansvarig för filmens budget på 25 miljoner dollar.

Leven påstod att han först fann inspiration till *Don Juan DeMarco* i lord Byrons långa dikt *Don Juan* från tidigt artonhundratal, även om det färdiga manuset uppvisade få direkt byronska

""Varje kvinna är ett mysterium att lösa." Don Juans fantastiska historia, om harem och högtravande romantik, berättas genom ett antal tillbakablickar.

Bedyrar sin kärlek för den hetlevrade Doña Ana (Géraldine Pailhas).

influenser. Öppningsscenen visar ett upplivande exempel på Don Juans oemotståndliga förförarteknik innan filmen plötsligt antar en mörkare ton. Depps titelroll ses ståendes högt uppe på en annonstavla iklädd Zorro-liknande kläder och därunder står poliser och förbipasserande och glor upp mot honom. Den anakronistiskt klädde 21-åringen förklarar att han är ingen mindre än Don Juan – den mytiska figur känd genom århundradena som "tidernas främste älskare" – och att han önskar att dö i en duell med Spaniens främste fäktare. I stället kommer psykiatern Jack Mickler (Brando) till platsen för att försöka övertala denna bisarra individ att inte avsluta sitt eget liv. Don Juan förklarar att han nyligen fann sin sanna själsfrände, för att sen förlora henne efter att ha avslöjat sin vidunderliga sexuella historia.

Även om dr Mickler (som Don Juan envisas med att kalla Don Octavio del Flores) snart ska gå i pension tar han sig an Don Juan under en tiodagars utvärdering som ska avgöra ifall Depps rollgestalt ska institutionaliseras på obestämd tid eller ej. Liksom för bankrånare på film som återvänder för att göra "en sista stöt", blir det uppenbart att Mickler snart kommer att upptäcka att saker och ting aldrig är riktigt så enkla. Don Juan informerar, med en mjäll spansk brytning, Mickler om sitt osannolika ursprung och om flera av hans mer skandalösa kärleksäventyr, vilka redovisas i rätt så trista tillbakablickar.

Snarare än att basera Don Juan på någon osannolik offentlig person, eller på en kombination av flera sådana – som var hans vana – bestämde sig Depp den här gången för att använda en brytning som grund för sin rolltolkning. Han har sagt att han särskilt studerade den helt igenom silkeslena latinoskådespelaren Ricardo Montalban, stjärna i den kitschiga tv-långköraren *Fantasy Island*. Det var dock aldrig Depps mening att göra sin gestaltning *camp*, och han anlitade en kastiliansk röstcoach som

kunde hjälpa honom att utveckla Don Juans oförskämt självsäkra verbala förförelsekonst.

Vad gäller rollfördelningen drar Marlon Brando det kortaste strået eftersom många av Jack Micklers repliker tenderar att ta formen av standardiserade psykologiska observationer. Brando får mera utrymme att glänsa - om än inte lika starkt som han en gång gjorde - i scenerna med Mickler och hans fru Marilyn, spelad av Faye Dunaway vars fasta ansiktsdrag utgör en ganska chockerande kontrast till Brandos slappa plyte. Det visar sig att Jack Micklers sessioner med den världsfrånvände romantikern Don Juan till slut får gnistan att åter tändas i parets stagnerade äktenskap - ett sentimentalt framställt skeende som Mickler mycket väl hade kunnat benämna som ”överföring”. Tack och lov är det patienten som greppar dynamiken och beskriver det som: ”Du behöver mig för en transfusion eftersom ditt blod har blivit till damm.”

Med tanke på rollgestaltens extrema sjukdomstillstånd är Depps gestaltning i *Don Juan DeMarco* överraskande tillbakahållen, kanske på grund av hans vördnad för Marlon Brando. Ändå är det Depps jämnhet som håller ihop filmen. Mot slutet av Don Juans tio dagar långa utvärdering har dr Mickler lyckats fastslå hans riktiga namn och ursprung, och även skälet bakom identitetsbytet till ”den främste älskaren”. Don Juan tar av masken för att tala inför en grupp bestående av Micklers kollegor och säger sansat det som, hoppas han, kommer att rädda honom från att institutionaliseras. Det här är stunden då Depp med stilla auktoritet träder fram och effektivt tar hand om hela alltet - Marlon Brandos namn må ha stått överst på affischen, men det här är utan tvivel en Johnny Depp-film.

Brando fattade omedelbart tycke för sin unga arbetskamrat under deras första projekt tillsammans, och han delade villigt med sig av sin livsfilosofi till Depp, liksom rikligt med professionella råd. Här fanns bland annat förslaget att Depp skulle överväga att minska på sin arbetsbelastning och tänka på uthålligheten: ”Vi har bara ett visst antal ansikten”, påpekade Brando. Till Depps stora förvåning rådde den ombytlige nestorn honom att ta sig an den utmanande och ofta karriärsdanande Hamlet-rollen innan han var ”för gammal och grå”. Även om Depp efteråt har pratat

”Det var oerhört spännande att få jobba med Marlon och Faye. De är båda skådespelare med otroliga karriärer. Det var ett privilegium för mig att få jobba med dem och lära mig.”

Marlon Brando och Faye Dunaway som doktor Mickler och hans fru Marilyn. Deras stagnerande äktenskap får nytt liv när den exotiske Don Juan dyker upp.

Don Juan DeMarco var tydligen inte ett av Depps mer njutbara projekt, men filmen fick fina recensioner och gjorde en respektabel förtjänst.

om att han studerat pjäsen har inga tecken på att hans karriär skulle göra en Shakespeare-utflykt synts till. Den nyfunna vänskapen med Brando hölls vid liv, och den senare gjorde en fängslande biroll i Depps olycksaliga regidebut *The brave* 1997.

Det kan verka som att novisregissören Jeremy Leven var en aning bländad av sina två stjärnors sammanlagda kaliber, Depp har nämligen berättat om hur han och Brando ibland skrev om otillräckliga repliker strax innan scenen ifråga skulle spelas in. Brando läste sen den nya texten från diskret utplacerade fusklappar, vilket skulle kunna förklara några av hans mindre imponerande stunder i *Don Juan DeMarco*.

I en fransk tv-intervju 1998 med Chiara Mastroianni (dotter till Marcello Mastroianni och Catherine Deneuve) talade Depp öppenhjärtigt om den mindre trevliga stämningen under en filminspelning han hade haft med en debuterande filmregissör. Med tanke på när intervjun gjordes kunde regissören ifråga bara vara Jeremy Leven. ”En del av dialogen var djupsinnig, vacker och poetisk, liksom, och så kom vi till inspelningen med den här killen och – så tror han att han är en mästermanipulatör, men han är skit, man ser rakt igenom det”, sa Depp. ”Han var en sådan där kille som ... vägrade erkänna att han inte visste vad han sysslade med. Han ville inte ta emot råd från folk, förstår du, han pressade bara på och det var verkligen bedrövligt.”

”Alltså, vi kom till en punkt i den där filmen då jag faktiskt var tvungen att säga till killen ... du kan säga tagning, och bryt, och till framkallning, om du har lust, men du säger ingenting annat till mig för jag vill döda dig, förstår du, jag skulle verkligen vilja lägga händerna runt din hals – sen lät han mig vara, höll sig undan helt enkelt. Han sa tagning, bryt, till framkallning, tack, och inget annat.”

Resultatet av det här märkliga och tydligen spända samarbetet hade premiär i april 1995 och fick ett allmänt erkännande i nöjespressen. Vad som var av större betydelse för New Line Cinema var att deras risktagande med Jeremy Leven lönade sig med en bruttoförtjänst världen över på nästan 70 miljoner dollar. Leven har inte regisserat någon mer film, men han har gjort en lukrativ karriär som manusförfattare till mainstreamhistorier som till exempel *Legenden om Bagger Vance (The Legend of Bagger Vance, 2000).*

Dead man

1995

”Jarmusch är en av mina bästa vänner och också den regissör jag beundrar mest. Varför göra vad som helst bara för lite pengar?”

Till vänster: Thel Russell (Mili Avital) förför Blake, något som får stora konsekvenser för dem båda.

Motstående sida: "Jag är inte död. Eller hur?" Den dömde kamreren William Blake var Depps första västern-roll, men med sin meditativa stämning och sina esoteriska referenser var det här ingen vanlig genrefilm.

I öppningsscenen i Jim Jarmuschs svartvita neovästern *Dead man* ser vi William Blake (Johnny Depp) på väg västerut med tåg från sin födelsestad Cleveland efter att nyligen ha förlorat båda sina föräldrar. Blake – som saknar koppling till den visionäre poeten med samma namn – har lagt alla sina besparingar på en biljett till en stad vid namn Machine, där han har blivit erbjuden en kamrerstjänst. Hans optimism dämpas något när tågets lortiga men mystiska eldare (spelad av Crispin Glover, alltid i tjänst som avart) invaderar Blakes privata sfär för att förvirrat och poetiskt förutspå att Blake kommer att dö i Machine.

Blakes tågresa utgör i princip en film i filmen. Samtidigt som rollgestalten färdas allt djupare in i den amerikanska västern märks ett tydligt och oroande förfall i uppträdandet och det yttre hos passagerarna som går ombord på tåget; öststatsbon – med sin rutiga kostym, stora fluga och sitt ängsliga sätt – framstår som alltmer apart när han nervöst sneglar på sin otämjda omgivning.

Efter hela åtta utdragna minuter börjar *Dead mans* vinjettexter äntligen rulla. 1996 frågade en Playboy-reporter Depp hur mycket han hade fått betalt för den här filmen. I stället för att köra den vanliga taktiken och fråga skribenten om han brukade diskutera sin egen lön offentligt svarade Depp helt enkelt: "Mindre än mina egna utgifter under inspelningen. Men det är en poetisk film. Jag gjorde *Dead man* för att få arbeta med Jim Jarmusch. Jag har tillit till Jim som regissör, och som vän, och som geni."

Blake stiger av i Machine som en främling i främmande land, och med ett geni som Jarmusch vid tyglarna lär saker och ting bli ännu mer främmande. Depps rollgestalt kommer fram till sin nya arbetsplats, det giftosande Dickinsons Metalworks, bara för att av en okänslig tjänsteman (spelad av John Hurt) informeras om att Machine inte är i behov av ytterligare en kamrer. Den utsatta nykomlingen försöker att resonera med fabriksägaren John Dickinson – som gestaltas av den 78-årige filmikonen Robert Mitchum – som bara står där, bredvid en uppstoppad björn,

och flinar bakom en gevärspipa mot den olycklige siffergranskaren. (All likhet mellan Dickinson och hans björnkompis är förmodligen oavsiktlig – även om det i praktiken kan vara omöjligt att se skillnad i Jarmuschs blandning av bisarrt och djupsinnigt symbolspråk.)

Förkrossad vacklar Blake nerför Machines leriga huvudgata och möter där Thel Russell, tidigare prostituerad, som får det att gå ihop genom att sälja pappersblommor. Russell tycker synd om Blake och erbjuder honom horisontell tröst i hennes bostad. Deras stulna kärleksstund avbryts av Russells ursinniga pojkvän Charlie Dickinson, som skjuter och dödar flickan med en kula som sårar Blake allvarligt efter att den gått igenom hennes kropp. Depps rollgestalt lyckas på något sätt döda sin angripare med sitt tredje pistolskott. Det framkommer att den avlidne hanrejen är avkomman till den björnälskande fabrikören, som genast skickar iväg tre vanställda prisjägare för att jaga ifatt den flyende Blake.

I sin kamp att överleva, och undkomma infångande, i den ogästvänliga terräng som omger Machine finner Blake sin frälsare i form av en mystisk indian vid namn Nobody (Gary Farmer), som – utstött av två olika indianstammar som en följd av sitt blandade ursprung – om möjligt är ännu mera av en outsider än Blake. Nobody (vars namn verkar vara en anspelning till ett avsnitt i Homeros *Odysséen*) visar sig ha blivit skolad i England och han citerar den visionäre poeten William Blakes ord i det oändliga – det är oklart om han tror att Depps rollgestalt är en reinkarnation av sin storartade namne eller om sammanträffandet bara roar honom. I vilket fall som helst så hindrar Nobody den ”dumme vite mannen” från att omkomma i vildmarken, men konstaterar också att han omöjligt kan avlägsna den potentiellt dödliga kulan som får ligga kvar inbäddad i Blakes bröst.

De två osannolika följeslagarna fortsätter att undkomma Blakes förföljare, kamreren behåller sin delikata fasad. Däremot ger flyktens härjningar Blakes karaktär en hård kant, och genom att

"Det är en rollgestalt som, återigen, är som en naiv ung kille som försöker få ihop sin tillvaro. Han kämpar verkligen hårt för att få sitt liv att fungera, och det slutar med en långsam död. Och han vet att han är döende. Det är ändå en vacker berättelse."

ha ihjäl två federala sheriffer visar han att han nu är en hänsynslös och effektiv mördare.

När Blakes hälsa fortsätter att försämras skyndar Nobody på deras riskfyllda resa till ett gammalt indianläger strax intill en bred flod. Där placeras den knappt medvetna Blake i en välbyggd, havsseglande kanot, som genom en ceremoni sjösätts i riktning mot havet. Sett i efterhand får denna maritima upplösning en märklig parallell i Depps sista ord som kapten Jack Sparrow i *Pirates of the Caribbean* (2003): "Ge hit den där horisonten!"

Dead man upprätthåller en kompromisslöst filosofisk stämning genom hela sina två och en halv timmar, men dras oförtjänt ner av kompositören bakom filmmusiken, Neil Young. Även om sextiotalskvarlevan Young på senare tid har blivit en av de figurer som är onåbara för rockkritiken så är hans soundtrack till *Dead man* ett välmenande men spretigt experiment. Som en hyllning till de musiker som förr i tiden brukade spela live till filmer, såg Young Jarmuschs film bara en gång, växlade spontant mellan instrumenten och spelade det som råkade falla honom in.

Village Voices J. Hoberman utropade djärvt *Dead man* till en "visionär film", en djärv deklaration som tyvärr drunknade i all den kritik som obarmhärtigt påpekade att Jarmuschs film var så gott som obegriplig. En bidragande orsak är att regissören är så promiskuös med varenda allusion som råkar fånga hans intresse.

Märkligt nog skulle Depp, femton år efter *Dead man*, ses spela i en film som fokuserade på ett liknande tema – industrialismens härjningar i Västern och den inskränkta girigheten hos industrialismens nya klass – och som lyckades träffa mitt i prick med genomborrande precision och andlös kvickhet. Den senare filmen är *Rango*, det animerade mästerverk i vilket Johnny Depp porträtterar en ombytlig kameleont med näsa för tur.

Motstående sida: Blake träffar på en mystisk indian vid namn Nobody (Gary Farmer), som hjälper honom att överleva så länge som möjligt innan han sjösätter den dödligt sårade öststatsbon i en kanot.

Vänster: Samtidigt som han förföljs av prisjägare tar Blake sig tid att sörja en hjortkalv och pryder sitt ansikte med djurets blod.

JOHNNY DEPP

S'il veut sauver
la vie de sa fille,

il a 90 minutes
pour devenir
un assassin.

MEURTRE EN SUSPENS

I sista sekunden

1995

”Jag har blivit anklagad för att bara göra konstiga filmer och kuf-roller. Jag tänkte att det var ett utmärkt tillfälle att göra tvärtom – någon som är fullkomligt vanlig, en reko kille.”

Utdragna minuter: Depps intåg i mainstreamfilmens actionvärld blev inte särskilt hyllat av vare sig kritikerkår eller publik. Med rollgestaltens dotter Lynn (Courtney Chase), till vänster, och regissören John Badham, nedan.

Föregående sida: Affischen för den franska distributionen av *I sista sekunden*.

Genom alla år har Johnny Depp lovordats för att han avböjt att medverka i flera storproduktioner, till och med efter att dessa filmer har blivit kommersiella framgångar. Den mest åberopade succé som Depp gett tummen ner till är antagligen *Speed*, där Keanu Reeves i slutändan spelade huvudrollen. *Speeds* grundläggande idé var så häpnadsväckande korkad att man nästan kunde tro att Hollywood i all tysthet hade ersatt sitt traditionella ”ge publiken vad den vill ha”-filosofi med det nya, brutala mottot ”ge publiken vad den *förtjänar*”. Filmen drog, givetvis, in en förmögenhet på den globala marknaden.

Men när Johnny Depp slutligen nedlät sig till att beträda actionfilmens arena kan man knappast påstå att det medel han valde – trots att det överträffade den förolämpning mot filmkonsten som *Speed* var – var särskilt mycket bättre än biopalatsskiten som Hollywood spottade ur sig var och varannan vecka. *I sista sekunden (Nick of Time)* var en thriller med det simplaste av upplägg. Depps rollgestalt, Gene Watson, anländer till Union Station i Los Angeles med sin lilla dotter. Två skurkar kidnappar dottern och ger Watson en pistol och sex kulor: om han vill återse sin dotter har han 90 minuter på sig att lönnmörda Kaliforniens guvernör. Intrigen står inte så lite i skuld till *Mannen som visste för mycket (The Man Who Knew Too Much*, gjord i två versioner som båda regisserades av Alfred Hitchcock), och valet att visa Watsons avgörande 90 minuter i realtid följde ett format som etablerades 1948 i och med Alfred Hitchcocks *Repet (Rope)* och som sen har använts av en handfull andra regissörer (och som 2000-talets tv-serie *24* till sist sög musten ur).

I sista sekunden regisserades av John Badham, som gjort 1977

års kulturella fenomen känt som *Saturday Night Fever*, men som sen länge dragit sig tillbaka till underhuggarposition med filmer som *Spanarna (Stakeout)* och *Lovligt byte (Bird on a Wire)*. Depp uttryckte sin beundran för Badham, pratade entusiastiskt om att få möjligheten att spela mot den ärkigaste av ärkeskurkar, Christopher Walken, och gav uttryck för sin önskan att få spela en ordinär medborgare som hamnar i en extraordinär situation. "Jag är intresserad av berättelse och rollgestalt och av att göra saker som inte redan har gjorts oändligt många gånger", sa han till Playboy. "När jag läste *I sista sekunden* kunde jag se framför mig hur killen klipper gräset, vattnar gräsmattan, sätter ut vattenspridaren på baksidan åt sin unge, och jag gillade utmaningen att spela honom ... det ger mig en chans att spela en reko, normal kostymkille."

I Johnny Depp såg Badham inte bara en enorm, omjölkad kassako, utan även en skådespelare som var precis den typ han behövde för rollen som Gene Watson. "Om Hitchcock skulle gjort den här filmen hade han förmodligen velat ha Jimmy Stewart. Och vem är nittiotalets Jimmy Stewart?" tillade han retoriskt.

Snart skulle Badham upptäcka att hans stjärna måhända var förmögen att återuppliva James Stewart-typen på vita duken, men hans verkliga liv var något helt annat. Regissören berättade för tidningen Premiere om sitt intryck av Depp när han kom till jobbet klockan sju varje morgon. "Jag tänkte att han bara hölls uppe av ett scenräcke. Han stod där något omskakad, men helt fokuserad."

Utan att dröja för länge vid *I sista sekundens* (få) styrkor och (flertalet) svagheter, eller räkna upp den utstuderade intrigens alla logiska luckor, kan man utan vidare påstå att Johnny Depps första huvudstupa dykning ner i det breda tilltalets strömfåra visade sig bli mer än ett magplask. Filmen fick en massa publicitet, särskilt eftersom Depp närvarade vid dess Los Angeles-premiär, i november 1995, med skvallerpressmagneteten och flickvännen Kate Moss vid sin sida. Publiken ville ändå inte köpa det. *I sista sekunden* fick inte mycket att hända i de amerikanska biljettkassorna, med intäkter på strax över 8 miljoner dollar utgjorde den en enorm förlust för Paramount Pictures, bolaget som sägs ha betalat Depp 4,5 miljoner för att medverka i vad som var tänkt att bli en publiksuccé.

Donnie Brasco

1997

”När jag gjorde Donnie Brasco sa folk i branschen ’Äntligen spelar han en man’. Och jag fattade inte riktigt. På vilket sätt var jag en man, liksom? För att jag slog till några killar?”

70·80

"Det var ett sant nöje och en ära ... Jag förväntade mig att han skulle vara väldigt allvarlig och inte särskilt avslappnad och lekfull, men sådan var han inte alls. Han skämtade hela tiden och fick alltid folk att skratta."

Wise guys: Drar ett skämt med motspelaren Al Pacino (motstående sida) och poserar med delar av ensemblen: Michael Madsen, Bruno Kirby, James Russo och Pacino (ovan).

Även om det inte fanns några uppenbara skäl att göra ännu en maffiafilm mot slutet av förra århundradet visade sig *Donnie Brasco* bli en förvånansvärt underhållande film som får större delen av sin energi från Johnny Depp, som slutligen erkändes som en alltmer pålitlig karaktärsskådespelare. Newsweek gick så långt som att konstatera att han hade en högre konstnärlig nivå än sina, ekonomiskt mer framgångsrika, samtida – som Brad Pitt och Keanu Reeves – eftersom "han chansar och han har skapat en samling verk som faktiskt blir begriplig betraktad som en helhet". Washington Post, å andra sidan, kallade Depp för "en hunk med begåvning". Nåja, man kan inte få allt.

I *Donnie Brasco* kunde Depp knappast ha önskat en bättre motspelare än maffiafilmsveteranen Al Pacino, som visar att han är en veritabel kraft till och med när han spelar rollen som en gnällig Cosa Nostra-knekt i de lägre divisionerna, utan möjlighet att visa upp sitt signum, det verbala fyrverkeriet. De två männen kom tydligen väldigt bra överens under filminspelningarna i början av 1996, och Depp sa att hans erfarenhet av att ha arbetat med Pacino var "allt och mycket mer än vad jag förväntade mig".

Sett i 1997 års filmkontext verkade det som att en ny maffiafilm skulle, per definition, bli hänvisad att verka inom det välbekanta – möjligen alltför välbekanta – territorium som hade delats upp mellan herrarna Coppola och Scorsese under de senaste två eller tre årtiondena. Chansen att någon skulle finna en ny aspekt av den sicilianska affärsvärlden verkade minst sagt liten – men *Donnie Brasco* lyckades erbjuda sin publik ny inblick i den organiserade brottslighetens skumrask genom att fokusera på den ofta triviala tillvaron för knegarna på botten av maffians näringskedja. I det hänseendet kunde *Donnie Brasco* med rätta göra anspråk på att vara föregångare till *Sopranos*, ett långt mer ambitiöst åtagande som var bland de första att visa amerikanska tv-tittare ett nytt koncept för tv-serier som berättar historier som spänner över flera säsonger (där *The Wire och Game of thrones* är bland de mest

Vänster: *Donnie Brasco* är den sanna berättelsen om FBI-agenten Joseph D. Pistone, som antog en falsk identitet för att kunna infiltrera två av New Yorks kriminella familjer.

Motstående sida: ”I tretti år har jag slitit röven av mig. Vad har jag fått för det?” I rollen som Donnie Brasco vinner Pistone den förbittrade torpeden Benjamin ”Lefty” Ruggieros förtroende (spelad av Al Pacino).

hyllade), vilket låter dem använda den sortens nyanser och tempo som tidigare varit prisvinnande romaners ensamrätt.

Det faktum att Johnny Depp, i samarbete med Al Pacino, kunde åstadkomma så mycket inom ramarna för en jämförelsevis kort, relativt lågmäld film är ett kolossalt erkännande av de båda skådespelarna vars fängslande, tillfälliga kompanjonskap är den drivande kraften bakom *Donnie Brasco*. Filmen tar sitt namn från den nyskapade identitet som tilldelades den verkliga agenten Joseph D. Pistone av hans arbetsgivare FBI 1976, då han tog sig an den mycket riskfyllda uppgiften att infiltrera brottsfamiljerna Bonannos och Colombos i New York. Pistones uppdrag varade i slutändan i sex år, ödelade hans familjeliv och resulterade i över hundra fällande domar – vilket gör det till en av de mest framgångsrika täckmantelsoperationerna i USA:s historia. I utbyte för sin beundransvärda insats för sitt land fick Pistone 500 dollar och en medalj vid en intern ceremoni.

Al Pacino spelar Benjamin ”Lefty” Ruggiero, en överårig maffiatorped som vet att det trots de tjugosex mord han utfört å organisationens vägnar inte finns någon garanti för att han kommer att få leva tillräckligt länge för att njuta av en lugn pensionering. När Pacinos rollgestalt inte gnäller om sin ansträngda ekonomi, sneglar han över axeln, alltid i väntan på att bli offer för ytterligare ett maffiadåd. Ruggiero träffar ”Donnie Barsco” för första gången när undercoverpolisen påstår sig vara en juveltjuv från Florida – och han vinner Ruggieros förtroende genom att leda honom bort från fejkade varor, en handling som får Ruggiero att aningslöst ta den förklädda FBI-agenten under sina vingar som en protegé. Efter att ha tillbringat större delen av sex år i närheten av den fatalistiske Ruggiero och hans egenheter (helt apropå ingenting kan den en gång så fruktade torpeden bara slänga ur sig ”Jag har kuk-cancer”) kan Depps rollgestalt Pistone inte rå för att känna en växande tillgivenhet för den äldre mannen. Tack vare den uppslukande, moraliskt tvivelaktiga relationen mellan filmens två protagonister kan *Donnie Brasco* ses som en slags kompisfilm, låt vara genrens mest tafatta exempel någonsin.

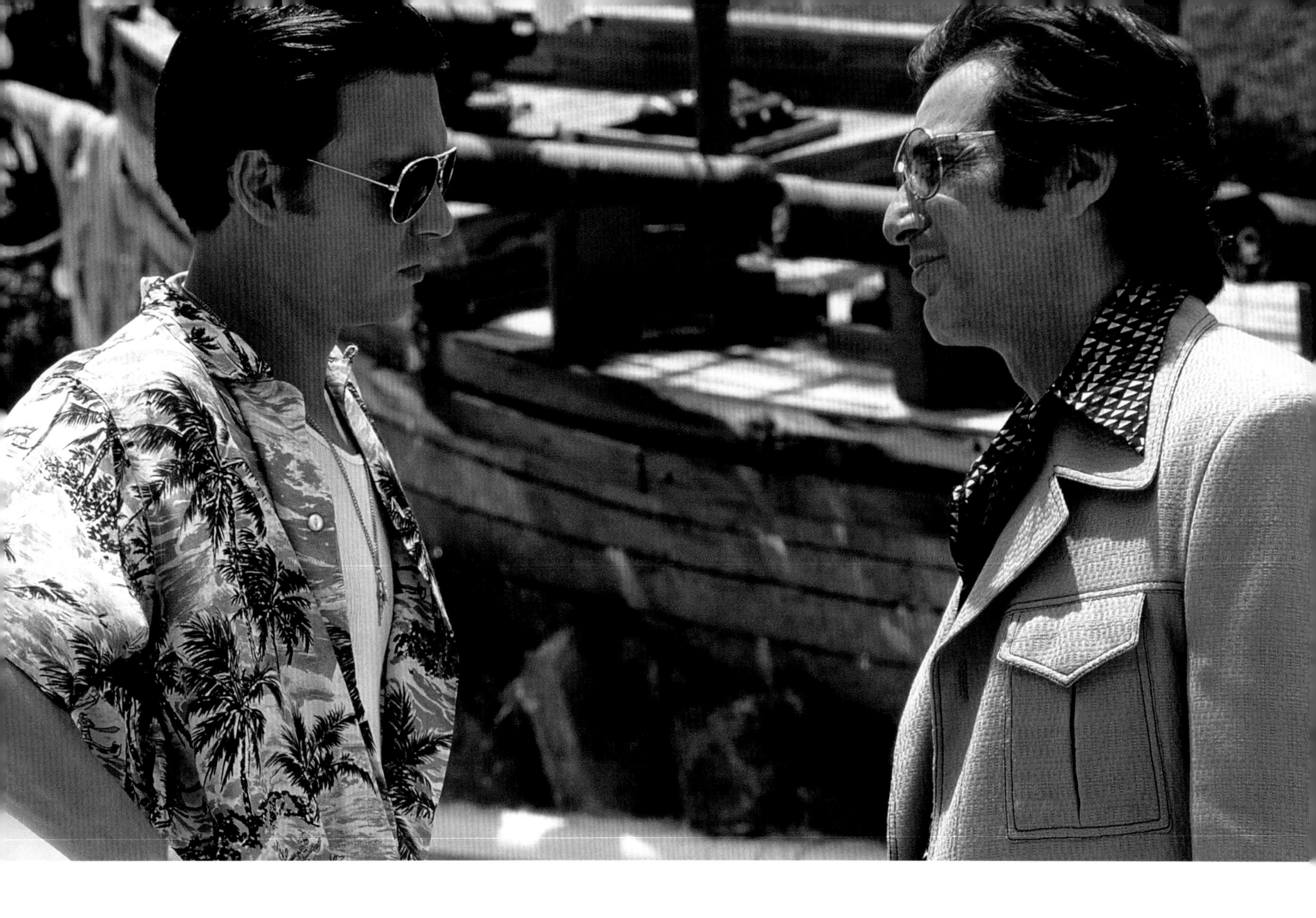

För att förbereda sig inför huvudrollen i *Donnie Brasco* tillbringade Depp avsevärt med tid bland Brooklyns maffiafolk, och det gjorde även regissören, engelsmannen Mike Newell (mest känd för sockervaddskomedier, som *Fyra bröllop och en begravning*). Newell charmades av dessa verklighetens mafiosi, men den inneboende brutaliteten i deras livsval störde honom likväl. Vilket i sin tur kan förklara varför *Donnie Brascos* regissör kan verka lite mesig när det gäller skildringen av det något teatrala våld som maffian använde för att sätta skräck i miljoner amerikanska medborgare under stora delar av 1900-talet. (Tack vare uthålligheten och modet hos dem som upprätthåller lag och ordning, som Joe Pistone, har maffians makt nu stympats betydligt.) Newells personliga känslighet drabbar i viss mån biobesökarna när han struntar i att utvinna den källa av sociopatursinne som finns i Michael Madsen.

För den som sen länge beundrat Johnny Depp var de kommentarer som Mike Newell fällde efter premiären av *Donnie Brasco* – som bara blev blygsamt framgångsrik kommersiellt sett, trots de i allmänhet fördelaktiga recensionerna – minst lika intressanta som filmen i sig. Newell bröt mot filmbranschens *omertà* genom att erbjuda den sortens levande beskrivning av Depps sanna personlighet som verkligen antyder att Depp har upprätthållit en anmärkningsvärd självkontroll genom alla de år han haft medias kritiska blick på sig. ”Han bet ifrån några gånger, och än idag har jag inte en aning om vad jag hade gjort”, avslöjade Newell. ”Det finns så mycket mer som pågår där under än bara en svärmorsdröm. Någonstans satte det där stökiga livet på fel sida av spåren sin prägel, vilket han, eftersom han är så karaktärsfast och intelligent, har tämjt; men då och då, när han inte vet om det, dyker något upp som är urtida och atavistiskt. Men det visar också hur hygglig han är när det går över nästan i samma ögonblick. Man går aldrig omkring och är sur över det.”

The brave

1997

”Jag hade aldrig föreställt mig att det skulle vara så svårt att agera och regissera samtidigt.”

”Något i berättelsen berörde mig på djupet. Offret som idé – hur långt kan du gå för dem du älskar, för din familj? Det är ett tema jag fascineras av.”

Som sin regidebut valde Depp den fruktansvärda berättelsen om en alkoholiserad indian som säljer sitt liv för 50 000 dollar.

1997 hade Johnny Depp ackumulerat tillräckligt med kraft inom den bransch han gjort till sin för att utvecklas till vad branschtidningarna kallar ett ”snedstreck”. I hans fall: skådespelare/manusförfattare/regissör. Depp bestämde att hans första regimanöver skulle bli en bearbetning av den fasansfulla romanen *The brave*, skriven – otroligt nog – av Gregory McDonald, upphovsmannen bakom detektivromanerna om *Fletch* (varav två användes för att lansera den tidigare komikern Chevy Chase inom filmen). Ett tidigt utkast av *The brave* hade saluförts runtom i Hollywood 1993, men utan större framgång. Till och med när Depp följande år förenade sina styrkor med projektets originalproducenter fortsatte potentiella investerare att hålla sig undan från projektet, som handlar om en ung indian som blir inblandad i snuff-filmens laglösa värld.

Liksom romanen tecknar *The brave* berättelsen om en alkoholhärjad, knappt läskunnig indian vid namn Raphael (spelad av Depp), som lever i eländig fattigdom i närheten av en soptipp med sin fru och två barn. När Depp – som nu även angavs som medförfattare i projektet – väl hade lyckats hitta uppbackning för *The brave* (han bidrog själv med 2 miljoner till vad som sägs ha varit filmens budget på strax under 10 miljoner dollar), visade det sig bli det Johnny Depp-projekt som skulle tvingas följa upp hans dittills bredaste film, det erkända maffiadramat *Donnie Brasco*.

När *The Brave* sätter igång har Raphaels liv nått absoluta botten. Han råkar höra talas om en skum affärsman i trakten som sägs betala stora summor till personer som är desperata nog att acceptera det affärserbjudande som McDonalds kallhamrade roman gömmer i sitt hjärta. Entreprenören ifråga, endast känd som McCarthy, spelas av Depps *Don Juan*-motspelare Marlon Brando, och första gången vi möter honom är det i en rullstol i en stor, öde lagerlokal som endast innehåller

en tortyrstol. Den feta, före detta ikonen förklarar för den arme Raphael den exakta innebörden av förslaget i en trollbindande monolog som ekar av överste Kurtz, den roll som Brando oförglömligt gestaltade i Francis Ford Coppolas *Apocalypse now*. Raphael får veta att hans familj kommer att få 50 000 dollar om han låter sig torteras till döds framför McCarthys kameror. McCarthy beskriver sen tortyrsessionen in i minsta hårresande detalj och kräver att få ett svar inom ett dygn.

Dessvärre börjar *The brave* tappa styrfart så fort Brando försvinner ur bild. Tonen i Depps film är sanslöst ojämn – den rusar helt tanklöst mellan realism och fantasi och flörtar emellanåt med dunkla förebud och den religiösa allegorin i en desperat jakt på större djup. Regissörens försök att belysa indianernas situation i det moderna Amerika undermineras av *The braves* oförklarliga brist på kulturell precision. Det finns många olika åsikter om huruvida centralgestalter i filmer bör vara sympatiska eller ej. Men få skulle väl framhålla nödvändigheten i att en huvudrollsinnehavare knappt är sinnesnärvarande, och i just det här fallet misslyckas Johnny Depp med att ens komma över det hindret då han driver genom filmen i en nervklen dimma.

De första röster som hördes inifrån Hollywood angående tidiga förhandsvisningar dömde ut filmen som ”osebar”, ett tema som kinkiga recensenter var minst sagt ivriga att utveckla. Daily Variety avfärdade till exempel *The brave* som en ”svulstig neovästern utan trovärdighet ... slående befängd”, medan

Vänster: Trots Brandos trollbindande birollsinsats kunde *The brave* inte leva upp till förväntningarna som följde ett officiellt tävlingsbidrag vid filmfestivalen i Cannes 1997.

Motstående sida: Något som undslapp kritikernas fördömanden var Vilko Filacs filmfoto, här fångar han Depp (Raphael) och Cody Lightning (Frankie) i en fantastisk scen.

”Att Marlon kom och gjorde den här filmen för min skull var en välsignelse svår att fatta. Det var bättre än en dröm.”

Screen International menade att filmen ”kryper som en snigel över vita duken under två timmar”. Det verkade som att varenda kritiker i Amerika ställde sig i kö för att få måtta ett slag mot Depps filmpiñata, och nästan alla träffade sitt mål. Bara Variety lyckades slå an en positiv ton i en i övrigt fördömande recension då man påpekade att filmen – tack vare den slovenska filmfotografen Vilko Filac – var ”elegant ihopsatt”.

Till Depps försvar stod han fast vid sin vision och utstod denna fullkomliga orkan av smälek med beundransvärt lugn. Inte en enda gång tog han till den självutnämnda ”missförstådda konstnärens” icke-försvar där man intar fosterställning och oavbrutet gnäller över orättvisan i omvärldens dom.

Som om *The brave* inte redan hade nog av allvarliga problem hade filmen dessutom valts ut som ett officiellt bidrag vid den femtioårsjubilerande filmfestivalen i Cannes. Depp uttryckte sin irritation över att pressas till att visa *The brave* i ett så uppmärksammat sammanhang, men hans protester tystades ner – kanske för att den biobesökande allmänheten antagligen inte skulle tro på att ett internationellt dragplåster på hans nivå av självständighet inte bara hade gjort en hopplös film, utan även tvingats att visa upp den på en världens mest prestigefyllda festivaler.

Den förnuftigaste röst som höjdes i den här katastrofen var den som tillhörde Depps *Dead man*-motspelare John Hurt, som utan omsvep kungjorde att *The brave* inte förtjänade att vara tävlingsbidrag i Cannes, och kritiserade festivalens arrangörer för att de så desperat ville visa upp en stor Hollywoodkändis under evenemangets femtioårsjubileum. Hurt attackerade aldrig Depp personligen, utan uttryckte i stället sympati för förstagångs-regissören som hade låtit sig smickras till att visa upp sin ofärdiga produkt på en så olämplig arena.

Resultatet av allt det här blev att *The brave* aldrig har släppts i USA, inte ens på dvd. Under flera år har Depps mest hängivna fans hänvisats till att jaga otroligt sällsynta piratkopior, men den ohejdbara ökningen av digitala piratkopior innebär att den nu finns tillgänglig för alla med en hygglig internetuppkoppling, vare sig de är superfans eller osunt sensationslystna.

”Det var vansinnigt att göra den. Det betyder inte att jag ångrar mig, för det gör jag inte. Men jag kan nog säga att det inte var ett av mitt livs mest rationella beslut. Jag är stolt över den, men det var så mycket mer arbete än jag hade förväntat mig.”

Supermodellen Kate Moss lägger en sista hand vid sin pojkväns utstyrsel vid filmfestivalen i Cannes, maj 1997 (vänster), och regissören tar en paus från det betungande arbetet med *The brave* (motstående sida).

”Det är himla trevligt att bli uppskattad, men jag är inte så bekväm med det. Jag har aldrig gillat att stå i centrum för allas uppmärksamhet. Det ingår.”

Fear and loathing in Las Vegas

1998

”Det var jätteroligt, och jättejobbigt. Vi fick allt – både skräcken och avskyn.”

JOHNNY DEPP
BENICIO DEL TORO
A TERRY GILLIAM FILM
Fear AND LOATHING in LAS VEGAS
BASED ON THE BOOK BY HUNTER S. THOMPSON
UNIVERSAL PICTURES PRESENTS A RHINO FILMS / LAILA NABULSI PRODUCTION JOHNNY DEPP BENICIO DEL TORO "FEAR AND LOATHING IN LAS VEGAS" CASTING BY MARGERY SIMKIN
COSTUME DESIGNER JULIE WEISS CO-PRODUCER ELLIOT LEWIS ROSENBLATT FILM EDITOR LESLEY WALKER PRODUCTION DESIGNER ALEX McDOWELL DIRECTOR OF PHOTOGRAPHY NICOLA PECORINI EXECUTIVE PRODUCERS HAROLD BRONSON RICHARD FOOS
RHINO
SOUNDTRACK ON GEFFEN RECORDS
PRODUCED BY LAILA NABULSI PATRICK CASSAVETTI STEPHEN NEMETH SCREENPLAY BY TOD DAVIES & ALEX COX DIRECTED BY TERRY GILLIAM A UNIVERSAL RELEASE
UNIVERSAL
The Coolest Soundtrack Of The Year -- Featuring Classic Mind-Altering Music And Film Dialogue
www.fear-and-loathing.com

Vänster: Som Raoul Duke och dr Gonzo spelade Johnny Depp och Benicio Del Toro fiktionaliserade former av Hunter S. Thompson och hans advokat i verkliga livet, Oscar Acosta, på ett sprit- och drogdrivet uppdrag i Las Vegas.

Motstående sida: Förebild – för att förbereda sig inför rollen bodde Depp i sin vän Hunter S. Thompsons källare och iakttog på nära håll författarens unika sätt att leva livet. Här fångade på bild tillsammans vid en uppläsning 2005.

Johnny Depp blev ett fan av skribenten Hunter S. Thompson redan under tonåren då den äldre brodern D.P. (Daniel) gav honom ett hundörat exemplar av *Skräck och avsky i Las Vegas: en vild tripp till hjärtat av The American dream (Fear and Loathing in Las Vegas: A Savage Journey to the Heart of the American Dream)*, som nog kan ses som kvintessensen av Thompsons signum, ”gonzo”-journalistiken. (Som undertiteln avslöjar hade ironiska underdrifter inget med gonzodogmen att göra.) Vad Depp knappast kan ha anat var att han en dag skulle spela i filmversionen av boken från 1972, vars långa resa till den stora vita duken nästan är föremål för en bok i sin egen rätt.

Genom *Skräck och avsky*... fick Johnny Depp upp ögonen för den unge Thompsons skarpladdade livsstil. Boken är en skildring av Thompsons vistelse i Las Vegas – i sällskap med hans feta advokat, Oscar Acosta (omnämnd som ”Gonzo” i den fiktiva redogörelsen) – där han befann sig med uppdraget att skriva 250 ord till Sports Illustrated om en motocrosstävling. Vid sin ankomst till Las Vegas finner dessa två osannolikt berusade herrar sig stå öga mot öga med all den vräkiga förskräckelsen i Amerikas nya fritidsfrontlinje, blott beväpnade med ett respektingivande förråd läkemedel och en mindre vapenarsenal.

Romanen – som ursprungligen dök upp som en artikelserie i två delar i Rolling Stone, i vilken Thompson ger sin egen rollgestalt namnet ”Raoul Duke” – uppnådde kultstatus under Nixonerans kulturkrig. Som tuff reporter var Thompson ett bläckplumpat underbarn som klättrat på branschstegen i en imponerande hastighet. Med sin bästsäljare från 1966, *Hell's Angels*, bröt han med den traditionella journalistikens alla grundteser, eftersom han satte sig själv i händelsernas absoluta centrum (och blev till på köpet allvarligt misshandlad av det betitlande motorcykelgänget).

I och med 1968 års val av Richard Nixon iklädde Thompson sig sin typiska tropikhjälm, bet ihop hårt om sitt typiska cigarettmunstycke och fortsatte att blända det unga Amerika genom att reta de konservativa med sina tirader och hogarthska bilder. De här texterna, oftast ackompanjerade av Thompsons

"Jag var livrädd för att göra Hunter besviken. Så jag gjorde allt för att kunna absorbera honom. Mitt mål var att stjäla hans själ."

”Terry dök upp, tog tag i det, skakade om och fixade allt. Han är en av de bästa regissörer jag någonsin har jobbat med, en av de mest innovativa, renhjärtade och naturliga upplevelserna jag har haft.”

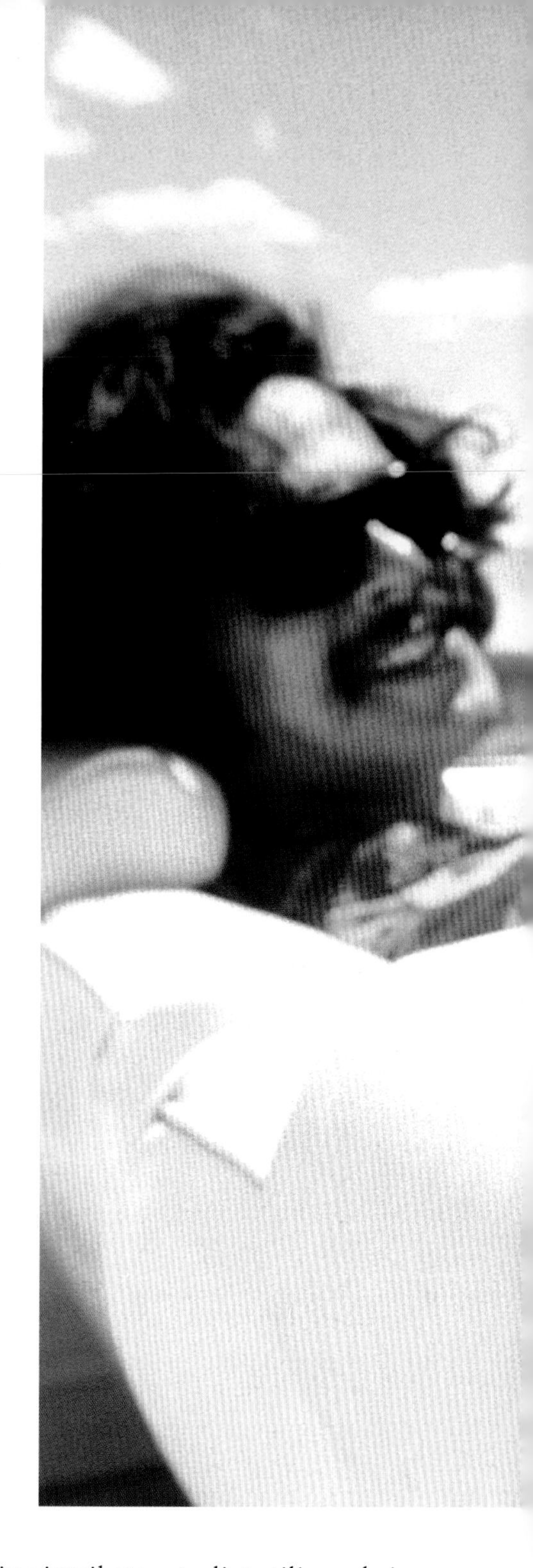

”Vi befann oss någonstans i närheten av Barstow, i utkanten av öknen, när drogerna började verka.” Regissören Terry Gilliam (ovan) var precis den man som kunde styra en sådan här ohämmad psykedelisk road movie.

medresenär Ralph Steadmans karakteristiskt stökiga illustrationer, var ömsom uppeldande, ömsom torrt insiktsfulla - och uppenbart opålitliga. För att utmärka sig i den frambrytande icke-objektiva new journalism-rörelsen utropade Thompson - som blivit något av en talisman på Rolling Stone - sig själv till en ”gonzo”-journalist. Begreppet kom att bli synonymt med olika former av olämpligt beteende och ett ofattbart ”urspårat förstånd” i en del av det amerikanska etablissemangets mest anständiga högborgar.

Thompson betraktade dubbelmoralen och all den groteska omåttligheten hos Det tillrättalagda Amerika med en egenartat absurdistisk inställning, som han förstärkte med ett regelbundet intag av syra, peyote, eter och mängder annan illegal stimulantia. Om allt annat misslyckades fanns det alltid ymniga starkspritsreserver till hands, för att inte tala om en imponerande vapenarsenal, vilken Thompson betraktade med samma känsla av rättmätighet som man hittar hos en sydstatsherre.

Skräck och avsky - med sina intrikata, otroligt stiliserade inre monologer - verkade synnerligen opassande för en filmbearbetning, men några årtionden efter att den publicerats skrev den ohämmade engelska författaren och regissören Alex Cox *(Rep Man, Sid and Nancy)* ett manus tillsammans med samarbetspartnern Tod Davies. I det tidiga produktionsstadiet av Cox projekt hörde man två namn återkommande ropas ut som kandidater till rollen som Thompson/Duke: Leonardo DiCaprio och Johnny Depp. Olyckligtvis blev Cox ovän med filmens producenter och lyckades dessutom att ganska grovt förolämpa Hunter Thompson. Det var så det kom sig att den Minnesotaborne regissören och tidigare *Monty Python*-discipeln Terry

Gilliam – som inte alls var främmande för knytnävsslagsmål med Hollywoodbolag – rekryterades att skriva om manuset på tio dagar i maj 1997, och sen filma *Fear and loathing* för mindre än 19 miljoner dollar. Den krångliga uppgiften att översätta Thompsons originalverk till betvingande filmspråk återstod att lösa, men Terry Gilliam var möjligtvis den enda bland de stora filmregissörerna som inte skulle låta sig avskräckas.

Gilliam sammanfattade *Skräck och avsky* imponerande rättframt: ”Även om det för det mesta inte händer något är allt dramatiserat”, sa han. Så sent som fem år tidigare hade detta varit ett olösligt problem, men Gilliam visste att han kunde dränka filmen med helt nya, psykedeliska, digitala effekter, tack vare den senaste utvecklingen inom datoranimation. Raoul Duke kunde därmed få uppleva hur andra rollgestalters ansikten omvandlades och smalt framför ögonen på honom, samtidigt som mönstrade casinomattor virvlade likt demonisk lava under hans ostadiga ben.

En viktig beståndsdel i filmversionen av *Skräck och avsky i Las Vegas* var den personliga relationen mellan Hunter S. Thompson och Johnny Depp, den skådespelare som fick rollen som Raoul Duke. Depps vördnad för gonzons gudfader var fortfarande i allra högsta grad intakt när de två männen möttes privat 1995. Depp gjorde en vallfärd till Woody Creek Tavern, Thomp-

Purple haze: Alternativkulturens musik och avkopplingsmetoder har en framträdande plats i filmen.

"Det finns ingen som har pengar nog att kunna köpa upplevelsen den här filmen har gett mig. När vi inledde arbetet visste jag att det här skulle bli vår chans – vår enda chans – att göra det bra."

sons mytomspunna vattenhål i Woody Creek, Colorado. Det dröjde inte länge förrän författaren svassade in i baren, och efter några glas märkte han att den självkritiske snyggingen från Hollywood som satt mitt emot honom föll honom på läppen.

Efter att tillbörliga mängder alkohol konsumerats drog sig de två nyfunna vännerna – som var födda inte mer än 130 kilometer från varandra i Kentucky, om dock med 26 år mellan sig – tillbaka till Thompsons avskilda, inhägnade gård där de fortsatte med att smälla av en hemmagjord bomb och dricka sig genom natten.

Med ambitionen att porträttera Thompson övertygande i *Fear and loathing* förberedde sig Depp för rollen genom att flytta in i författarens källare under flera veckor åt gången, och lät sig själv sjunka ner i författarens särpräglade livsstil. Den vanligtvis så bångstyriga Thompson accepterade detta något ovanliga arrangemang och hedrade till och med Depp genom att raka hans skalle med sin egen kala platå som förlaga. Under sin vistelse i Thompsons skabbiga källare rotade Depp omkring efter allt möjligt som kunde vara användbart i hans väntande uppgift, och kunde till och med förskräcka sin värd genom att ta på sig kläder som inte tvättats sen Thompsons *Fear and loathing*-period. Skådespelaren grävde också fram en opublicerad Thompsonroman från det tidiga 60-talet med titeln *The Rum Diary*, baserad på Thompsons erfarenheter som ung reporter i Puerto Rico. Bara några få personer hade någonsin fått tillåtelse att läsa manuset, och Depp blev så exalterad över boken att han insisterade på att han och Thompson skulle ha ett möte och diskutera en filmbearbetning när den aktuella filmen hade avslutats.

När inspelningarna av *Fear and loathing* inleddes fann dessa generationsöverskridande kompisar sig skilda åt av Terry Gilliams sluga beslut att neka Thompson allt tillträde till inspelningsplatsen. Författaren försökte likväl utöva sitt inflytande genom att bombardera Depp och Gilliam med en rad mästrande faxmeddelanden. Veteranen Gilliam hade inga problem med att ignorera pappersstormen, men Depp kände sig tvungen att försöka blidka sin vän – ett välmenande bemötande som var dömt att misslyckas med den självmedvetet stridslystne Thompson.

I *Fear and loathing* möjliggjorde det sena 1990-talets datoranimationer att hotellens virvlande heltäckningsmattor fick liv och kunde samexistera med det tidiga 1970-talets ordbehandlingsteknik.

En hallucinerande Duke tar uttrycket "lounge lizards" lite för bokstavligt.

Det är talande för Johnny Depps professionalism att han, även under denna avsevärda press, ändå förmådde klara av sina scener på bara en eller två tagningar. Under inspelningarnas första dag överraskades Depp av ett samtal från Bill Murray, som 1980 hade gjort ett försök att gestalta Thompson i den floppande filmen *Where the Buffalo Roam*. Murray önskade Depp lycka till men varnade honom samtidigt: ”Var försiktig när du spelar Hunter, för han lämnar dig aldrig. Han kommer aldrig att försvinna.”

”Jag hade helt klart tillbringat för mycket tid med Hunter”, erkände Depp senare, ”och det tog över. Det fanns något som var starkare än jag i den här filmen.”

Depp spelar mest med hjärtat i den här filmen, och han kan verkligen inte klandras för sin tyngdlagstrotsande skildring av Thompson, sitt frammanande av skribentens drogframkallade paranoia, eller sättet han fångar Thompsons vana att mumla torra avsidesrepliker i stil med W.C. Fields. Men – Terry Gilliam misstog sig inte när han sa att ”inget egentligen händer” i *Fear and loathing* och ingen skådespelare kan komma över ett hinder i den storleken.

Det bör också noteras att Gilliams visuella fyrverkeri är den mest ögonfrätande uppfinningsrikedom som dittills hade skådats på vita duken. Men den betungande uppgiften att trolla fram en ”handling” från det material som fanns tillgängligt visade sig vara en alltför stor utmaning. Många filmpuritaner betraktar berättarrösten som nidingens sista utväg och i *Fear and loathing* tar Terry Gilliam just ett sådant verktyg i bruk i ett fåfängt försök att locka fram gonzonanden från det förflutna. (Rösten ifråga tillhör inte Johnny Depp utan skådespelaren Donald Morrow.)

Här promotar Depp filmen tillsammans med motspelaren Benicio Del Toro och regissör Terry Gilliam i Cannes. Depps hår, som Hunter S. Thompson hade rakat av för att efterlikna sin egen kala platå, har vuxit ut igen och Del Toro är tillbaka i sin matchvikt.

Benicio Del Toro lade på sig en ansenlig mängd kilon inför rollen som Gonzo, Dukes advokat och medbrottsling, och han lyser upp de flesta av sina scener med ett imponerande spektrum av vad som verkar vara improviserad nonsenskomik. Men likväl, när allt är sagt och gjort – och peyoten till slut har förlorat sin effekt – så sitter vi där med en trevlig och riktningslös roadmovie som kanske skulle ha fungerat bättre som ett antal sketcher för *Saturday Night Live*.

Föga förvånande rönte *Fear and loathing in Las Vegas* ingen ekonomisk framgång i USA. Den fick också tåla en del ganska hård kritik från recensenterna, där många såg den som en obegriplig relik som borde ha fått stanna kvar i sin tidskapsel snarare än att dras in i den moderna tidens biopalats där dess anakronistiska upptåg knappast kunde tilltala en åskådare under 45. I allmänhet var man överens om att Depp hade gjort mycket bra ifrån sig som Raoul Duke, även om många kritiker var mer fascinerade av de ofta fenomenala hyssen som Del Toro – ett relativt nytt ansikte inom den amerikanska filmen – stod för.

Dokumentären Gonzo från 2008, där Johnny Depp var berättarrösten, inleddes med en rad vittnesmål från vänner som försiktigt medgav att Hunter under merparten av sina senare år knappt kunde uppbåda tillräckligt med övertygelse för att skriva. Filmen var förståeligt nog elegisk till sin natur eftersom den gjordes efter att Thompson hade skjutit sig själv med en Smith & Wesson-pistol den 20 februari 2005, vid en ålder av 67.

Johnny Depp förblev en trogen anhängare ända in i slutet och genomförde sin fastslagna intention att göra film av The Rum Diary, vilken släpptes i oktober 2011 med Depp i en roll i stort sett baserad på den unge Hunter Thompson. Vid en minnesstund ett halvår efter Thompsons självmord infriade Depp ytterligare ett löfte: att sprida skribentens aska, i flera behållare, med en specialtillverkad kanon som sägs ha kostat Depp 2 miljoner. Vapnet monterades på ett femtio meter högt torn som pryddes av en storskalig avbildning av Thompsons signum: en knytnäve med två tummar, och med ett krampaktigt grepp om peyoteklumpen.

The ninth gate

1999

”Det är klassisk Polanski. Om du skulle ta Rosemary’s baby och Chinatown och blanda dem så skulle det bli den här filmen.”

"Det var ingen lätt film att göra. Roman är ganska låst till sin metod. Det finns inte så mycket utrymme för diskussion eller samarbete. Han var definitivt lite för rigid för min smak."

Vänster: Johnny Depp och Roman Polanski fördjupade i grubblerier, men inte i samtal.

Nedan till höger: På flyget tillsammans med sin mystiska skyddsängel, spelad av Emmanuelle Seigner.

När Johnny Depp gick med på att göra den Parisbaserade, övernaturliga thrillern *The ninth gate* var hans största motiv chansen att få arbeta med den vördade, polskfödde regissören Roman Polanski (som hade flytt till den franska huvudstaden från USA 1978 kort innan han dömdes för att ha haft sex med en underårig flicka). Enligt Depp var filmens manus "typ, okej, liksom. Kanske kan vi, när vi kommer in i det, driva omkring litegrann och hitta någonting och ändra på det".

Depps och Polanskis relation under arbetet med filmen - som var en bearbetning av romanen *Dumasklubben* (*El club Dumas*, 1993), skriven av den spanska författaren Arturo Pérez-Reverte - inleddes inte direkt i en yra av samarbetspassion. Polanski motsatte sig, som en av filmens manusförfattare, inte bara Depps idé om att "driva omkring lite", han var även inledningsvis osäker på om Depp kunde ersätta John Travolta i rollen som den opportunistiska boksamlaren Dean Corso. Travolta hade övergett projektet mycket förargad efter vissa manusförändringar, och det talades om att stämningsansökningar var på väg. Men när inspelningarna väl hade satt igång lugnades Polanski av Depps öppenhet, spontanitet och skarpa intelligens.

Filmen inleds med att Depps rollgestalt Corso, komplett med glasögon och getskägg, blir uppsökt av den välbärgade och dekadenta boksamlaren Boris Balkan (Frank Langella). Balkan erbjuder en riklig belöning om Corso skulle lyckas med den knepiga uppgiften att leta rätt på och bevisa äktheten hos de två återstående exemplaren av en speciell bok han äger, *The Nine Gates of the Kingdom of the Shadows* (publicerad 1666). I sina inledande undersökningar upptäcker Corso att några av de individer som tros ha ägt exemplar av *The Nine Gates* har fått möta olika obehagliga öden. Han får också höra bisarra rykten som tyder på att den som lyckas samla de tre originalen av *The Nine Gates* kommer att få tillgång till en port som leder till … en annan värld?

Corsos sökande efter de band som ska få mr Balkan att visa

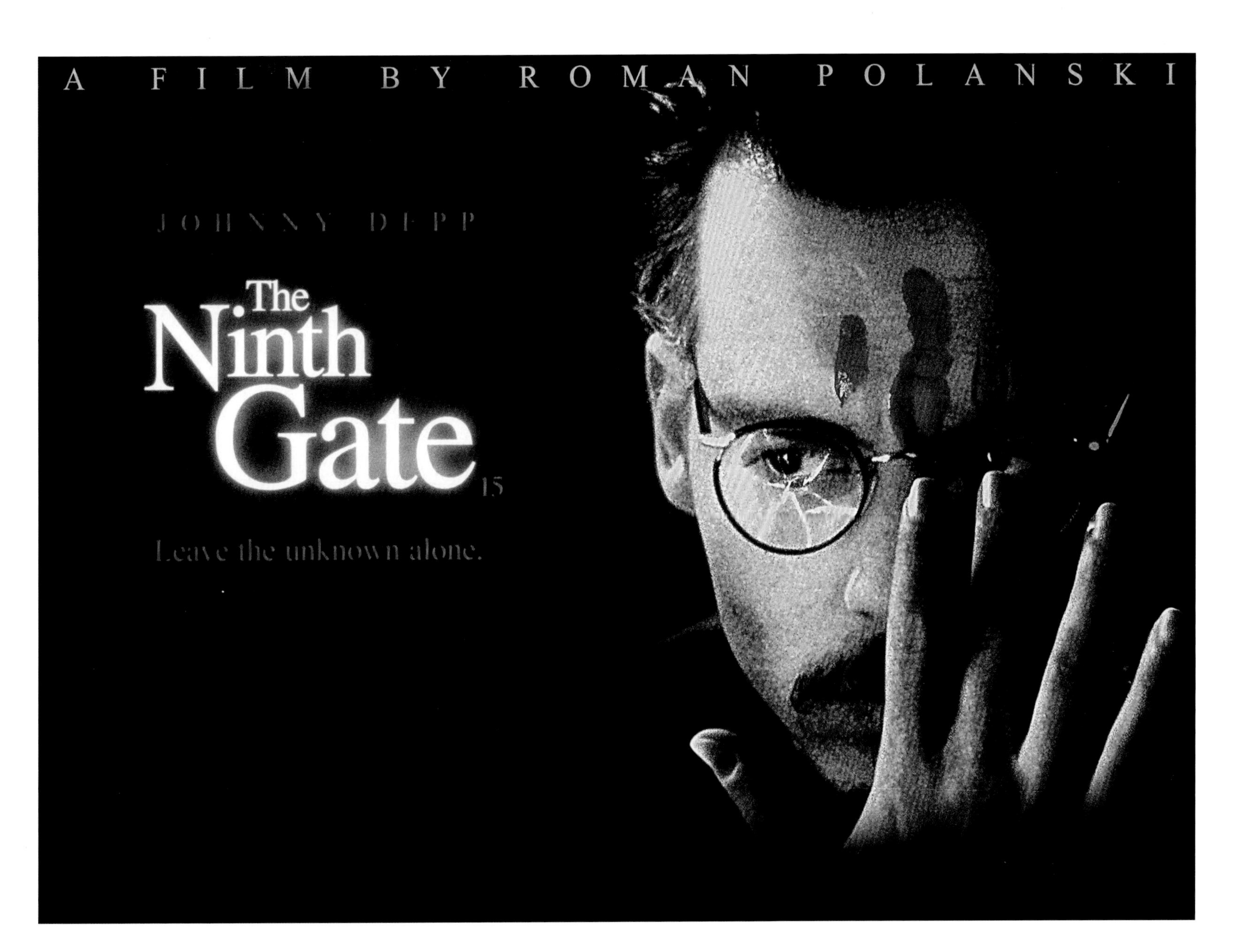

sin frikostighet tar honom till olika europeiska städer. Någonstans på vägen inser han att han blir förföljd av skugglika typer som verkar vilja avsluta hans uppdrag i förtid, och möjligtvis våldsamt. Corso – som Depp besjälar med en svart humor och misstänksam uppsyn – räddas upprepade gånger av ett till synes allestädes närvarande och förmodligen övernaturligt väsen, vilket omnämns endast som ”Flickan” (spelad av Polanskis fru Emanuelle Seigner).

Corsos bokjakt går från stad till stad och är så invecklad att publiken snart blir mer utmattad än han. Filmens labyrintiska intrig går i så många osannolika sidospår att man nästan kan se framför sig hur Roman Polanski på inspelningsplats, hukad över sin laptop, frenetiskt matar ut nya sidor i ett desperat hopp om att till slut få filmens intrig att hänga ihop.

The ninth gates klimax inträffar i ett avsides, välbevakat residens som verkar vara spelplats för en maskerad för den pengastinna satanistkretsen, i stil med *Eyes Wide Shut*. Medan åskå-

darna ännu vacklar efter den omaskerade fräckheten i Polanskis "hyllning" till Stanley Kubrick rusar Frank Langellas rollgestalt Boris Balkan in i residensets balsal och avbryter förberedelserna av vad som mycket väl kan vara en svart mässa med sina maniska: "Rappakalja!"

The ninth gate orsakade något av en debatt bland kritiker angående Polanskis avsikter med att göra en så överdriven film: å ena sidan fanns det de som log och nickade menande under filmvisningen och tog in dess förmodade lekfulla ton; å andra sidan tog den motstående sidan filmen som ett slutgiltigt bevis på att Polanski förlorat sin förmåga, och kanske mer än så. Los Angeles Times Kenneth Turan befann sig någonstans mellan de två lägren och menade att han funnit *The ninth gates* jämna flöde av genreklichéer ganska trösterikt.

Även om *The ninth gate* inte precis bättrade på Johnny Depps rykte gjorde omständigheterna kring filmens tillblivelse i slutändan ett djupt avtryck i skådespelarens liv. Under tiden som han filmade i Paris råkade Depp träffa på en av landets kulturella skatter, skådespelerskan och sångerskan Vanessa Paradis. Fem-

Motstående sida, nederkant: I den här svart humoristiska och djävulskt komplexa, övernaturliga thrillern spelar Depp Dean Corso, som handlar med sällsynta böcker och anlitas för att leta upp de två återstående exemplaren av en satanistisk text från 1600-talet.

Höger: Depp och Polanski firar att *The ninth gate* färdigställts, på en bar i Paris, april 1998.

ton år gammal hade Paradis fått en hit med en lounge-jazzig, komiskt färgad låt betitlad ”Joe le taxi”, och hon hade fortsatt med att göra ett album då och då, bland dem ett – det självbetitlade verket från 1992 – som hade producerats av hennes dåvarande pojkvän, den amerikanska retrorockaren Lenny Kravitz. Paradis skådespelarkarriär fick en mycket lyckosam start: för sin filmdebut i *Noce Blanche*, från 1989, fick hon en César (den franska motsvarigheten till en Oscar) för ”mest lovande skådespelerska”.

Även om Paradis bytte in en del av sina rikliga kulturella tillgångar mot välbetalda reklamjobb, inklusive ett väldigt lukrativt tv-inslag och tidningsannonser för Chanelparfymer, var den här damen uppenbart mer begåvad än modellflickvännen som Johnny Depp hade gjort slut med några år tidigare. Paradis och Depp hade träffats som hastigast flera år innan han gjorde *The ninth gate*, men efter att de återsågs i Paris i Hôtel Costes lobby (sen länge en favorit i modevärlden) började Depp och Paradis dejta, och kort därpå blev hon gravid *pour la première fois*.

Depp valde snart att göra Frankrike till sitt nya hem, mest för att han såg landet som en idealisk plats att bilda familj på, men även på grund av, om än i inte lika stor utsträckning, landets sorglösa inställning till rökning. Eftersom Depp hade tagit på sig betungande uppdrag innan han mötte sin kärlek bestämde man att Paradis skulle tillbringa största delen av sin graviditet förskansad i sitt föräldrahem.

I slutet av 1998 gjorde Depp en kort utflykt – över Engelska kanalen, till London – för att träffa sin gamle kamrat Tim Burton som var mitt i förproduktionen till sin filmtolkning av en av Amerikas mest långlivade litterära skrönor. ”The Legend of Sleepy Hollow” är en övernaturlig saga skriven av Washington Irving 1819, och Johnny Depp skulle medverka i Burtons version. Den film som följde skulle visa sig vara lika mycket av en slumpmässig problemlösare som Depps oplanerade möte med mademoiselle Paradis.

The astronaut's wife

1999

”Det var kul att spela en redneck, en helamerikansk hjälte som spårat ur … jag gillade honom definitivt inte, det kan jag säga.”

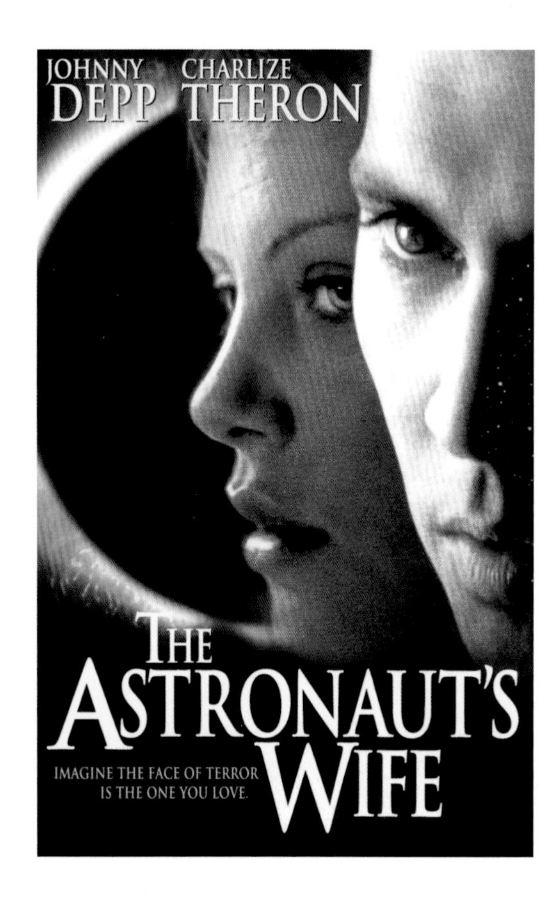

Det är något som inte stämmer: Befälhavare Spencer Armacost (Depp) tas emot som hjälte vid sin återkomst från rymden, men han är inte den man han en gång var.

Efter *Don Juan DeMarco* hade Johnny Depp svurit på att aldrig mer arbeta med en förstagångsregissör. Det gör hans beslut att skriva på för den förmenta thrillern *The astronaut's wife*, skriven och regisserad av debutanten Rand Ravich, ganska förbluffande. Ännu mer så med tanke på innehållet i Ravichs originalmanus: berättelsens grundpremisser kunde kanske ha fungerat för ett tillräckligt bra avsnitt av Rod Serlings nyskapande tv-serie *Twilight Zone*, men i den samtida spelfilmens kontext var det här den sortens grundmaterial som på sin höjd räckte till en genuin b-film. Även om Hollywood ännu inte såg Depp som en kvalificerad a-lagsspelare, hade han en viss pålitlighet vad gällde avkastning vilket gav honom möjligheten att välja mellan välbetalda och uppmärksammade jobb, eller att arbeta med en del av de mest begåvade och utmärkande regissörerna i branschen. Men ändå valde Depp ännu en gång, i och med *The astronaut's wife*, ett projekt som inte föll in i någon av dessa kategorier.

Depp spelar befälhavare Spencer Armacost vars senaste uppdrag var en rymdskyttelsoperation som nästan slutade i katastrof då han under två oroväckande minuter förlorade kontakten med NASA:s kontrollrum under en rymdpromenad tillsammans med kollegan Alex Streck (Nick Cassavetes). När Armacost åter inordnar sig i det jordiska hemlivet med sin unga fru Jill (Charlize Theron), antyder Ravich exakt hur betydelsefullt det brydsamma tvåminuters-avbrottet kan ha varit. Efter att den till synes stoiske Alex Streck förlorat förståndet och dött begår Strecks fru självmord. Därefter upptäcker Armacosts fru att hon är gravid och blir oerhört ängslig när hon ser sin en gång så livliga make skifta personlighet och förvandlas till en maniskt överbeskyddande blivande fader. Det här verkar vara den aspekt av rollen som fick Johnny Depp att komma över sin allergi mot debuterande regissörer. ”Jag tror att det finns mer att hämta hos oss alla än vad ögat kan se”, sa han till Calgary Herald mot slutet av 1999. ”Jag gillar tanken på att det här ytligt sett är en charmig, välmående

Efter att ha nosat på katastrofen återbekantar sig Armacost med sin fru Jill (Charlize Theron).

”Det var ett ganska spännande manus ... Jag tyckte att det var en väldigt välskriven historia. En mycket intressant idé.”

helamerikansk kille, men i sitt väsens självaste kärna är han ett slags ondskefullt odjur.”

Alltför tidigt blir det uppenbart att Johnny Depps rollgestalt måste vara besatt – besatt av anden hos varje filmisk demonavkomma som någonsin skådats, från *Ondskans barn* och *Rosemarys baby* till *Alien*. Dessvärre är det mest skrämmande med *The astronaut's wife* hur välbekant allt är och hur man slösar med influenserna. Dagens biobesökare är vana vid att genrer dekonstrueras, blir vända ut och in och allmänt omkastade, så många av dem misstänkte antagligen att den här filmen i vilket ögonblick som helst skulle kunna förvandlas till en fullfjädrad parodi i stil med *Titta, vi flyger!* – men liksom rysningarna så uteblir skratten.

The astronaut's wife kunde knappast ha visat upp två motspelare som tillsammans utgör ett stiligare par än Depp och Theron, och nog finns det en kemi mellan dessa två som tillsammans skapar några övertygande, heta scener innan allt vänder och går i den övernaturliga riktningen. (När Depps rollgestalt får tillåtelse att kort prata med sin fru under det ödesdigra rymduppdraget är hans första fråga: ”Vad har du på dig?”) Men den ooriginella intrigen påminner oss bara om att Theron två år tidigare spelade i *Djävulens advokat (The Devil's Advocate)*, en långt mer övertygande variation på samma tema. Under tiden får vi äntligen se Johnny Depp anta den utmaning som sen länge varit obligatorisk för alla skådespelare med aspirationer på de högre divisionerna: sydstatsdialekten. Depp må ha vuxit upp i fastlandsamerikas sydligaste stat, men den uppryckta dialekt han kör med i den här filmen fungerar bara som en påminnelse om att bara en liten del av norra Florida har en känsla för vad sydstatstillhörighet är. För Depp är den här tveksamma dialekten ett felsteg som kan tolkas

The astronaut's wife slets i stycken av kritikerna, men liksom tidigare tog sig Depp i stort sett oskadd ur olyckan.

Uppslaget: Porträtt av Aaron Rapoport, 1998.

"Det var en möjlighet att spela en sådan där kille med bländande vitt leende ... som egentligen inte är något annat än ett monster."

som att han trots allt bara är en vanlig dödlig.

Den mycket erfarne filmfotografen Allen Daviau (som emellanåt arbetat med Steven Spielberg) skänker *The astronaut's wife* en silvrig ytbehandling som vittnar om god smak, men som bara tjänar till att understryka alla de katastrofala problemen som finns med handlingen. Men visst, det här hade varit ett okej stycke menlös underhållning om man råkat snubbla över det bland tv:ns basutbud sent på natten – oavsett, så är det ännu en gång svårt att föreställa sig vad som fick Johnny Depp att skriva på för en film som ligger så långt ifrån hans professionella ställning.

The astronaut's wife gjordes av New Line Cinema, ett bolag som i princip gav filmen ett misstroendevotum när man bestämde sig för att inte ordna några förhandsvisningar för amerikanska kritiker. Det var en strategi som fick många att misstänka att just den här astronauten nog var en hund, något som bekräftades när recensionerna till slut dök upp. Kommersiellt sett imploderade filmen på uppskjutningsrampen – än en gång fick vi se att Johnny Depp fortfarande inte var ett tillräckligt stort namn för att "bära" en film. *The astronaut's wife* tjänade bara in runt 12 miljoner dollar i inhemska biljettintäkter, vilket innebar att New Line fortfarande var ljusår från att få igen filmens 34 miljonersbudget (exklusive tillkommande marknadsföringskostnader).

Depp förlorade troligen inte särskilt mycket sömn på grund av den här filmens långt ifrån astronomiska prestation på det ekonomiska planet eftersom hans rykte alltid verkade komma ut oantastat på andra sidan de skräpprojekt han råkade släntra igenom vart och vartannat år. Till exempel så dömde New York Times ut *The astronaut's wife* med en otvivelaktigt ljummen recension, samtidigt som tidningens kritiker Manohla Dargis vänligt noterade att "Depp rör sig genom filmen smidigt och orubbligt, utan att någonsin låta småsaker dra ner honom". Den skottsäkra aura som tydligen omgav Johnny Depp blev bara mer intressant när hans karriärkurva alltmer började likna ritningarna till en åkattraktion.

”Människor säger att jag gör konstiga val, men de är inte konstiga för mig. Min sjuka är att jag fascineras av mänskligt beteende, av det som ligger under ytan, av världarna inuti folk.”

Sleepy Hollow

1999

”Jag såg Ichabod som en väldigt delikat, ömtålig person som kanske bejakade sin feminina sida lite för mycket, som en skrämd liten flicka.”

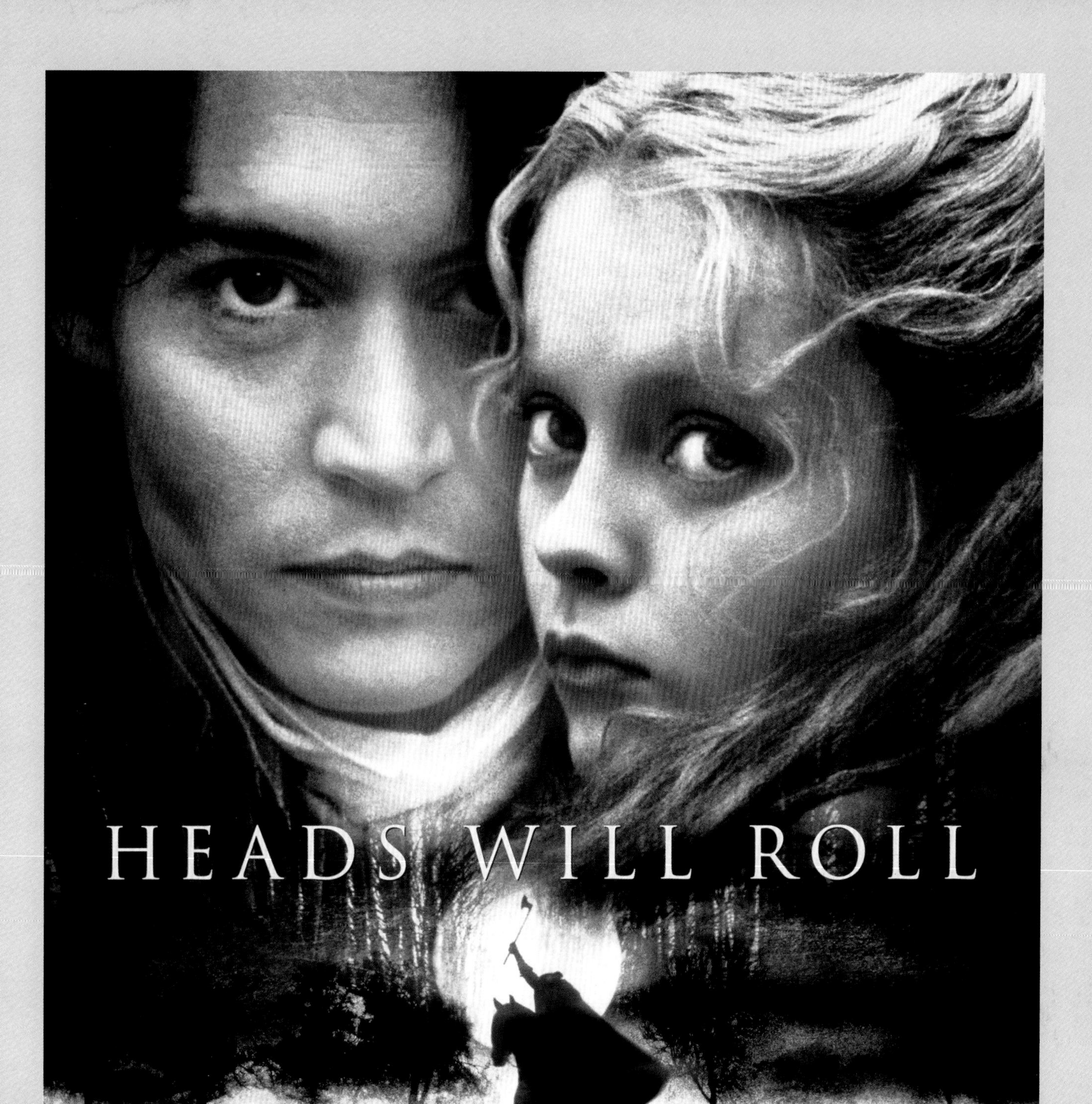

A TIM BURTON FILM

Sleepy Hollow

JOHNNY DEPP CHRISTINA RICCI

PARAMOUNT PICTURES AND MANDALAY PICTURES PRESENT A SCOTT RUDIN/AMERICAN ZOETROPE PRODUCTION A TIM BURTON FILM
JOHNNY DEPP CHRISTINA RICCI "SLEEPY HOLLOW" MIRANDA RICHARDSON MICHAEL GAMBON CASPER VAN DIEN JEFFREY JONES
MUSIC BY DANNY ELFMAN COSTUME DESIGNER COLLEEN ATWOOD PRODUCTION DESIGNER RICK HEINRICHS EDITED BY CHRIS LEBENZON DIRECTOR OF PHOTOGRAPHY EMMANUEL LUBEZKI CO-PRODUCER KEVIN YAGHER
DOLBY DIGITAL EXECUTIVE PRODUCERS FRANCIS FORD COPPOLA LARRY FRANCO BASED UPON THE STORY BY WASHINGTON IRVING SCREEN STORY BY KEVIN YAGHER AND ANDREW KEVIN WALKER

R RESTRICTED UNDER 17 REQUIRES ACCOMPANYING PARENT OR ADULT GUARDIAN READ THE POCKET BOOK SCREENPLAY BY ANDREW KEVIN WALKER PRODUCED BY SCOTT RUDIN ADAM SCHROEDER DIRECTED BY TIM BURTON

SOUNDTRACK AVAILABLE ON HOLLYWOOD RECORDS

NOVEMBER

www.sleepyhollowmovie.com

”På sätt och vis är det en hyllning till 1960-talets alla Draculafilmer och Hammer House of Horror, med en skådespelarstil som är på gränsen till oacceptabel. Kanske går det över gränsen.”

Med både bra och dåliga erfarenheter i bagaget sedan det senaste samarbetet fem år tidigare återupptog Johnny Depp och Tim Burton sin telepatiska arbetsrelation i och med *Sleepy Hollow*.

När Johnny Depp återförenades med regissören Tim Burton för att göra *Sleepy Hollow*, fem år efter att de båda arbetat med *Ed Wood*, så hade en tydlig skillnad uppstått i deras respektive karriärer. Depp gjorde en katastrofal regidebut med *The brave*, en film som visades i förtid vid 1997 års Cannesfestival på grund av arrangörernas desperata vilja att grabba åt sig en berömdhet till evenemangets femtioårsjubileum. Han lyckades hursomhelst resa sig igen genom bearbetningen av *Skräck och avsky i Las Vegas* – Hunter S. Thompsons kultroman från 1970-talet – regisserad av Terry Gilliams. Även om *Fear and loathing* inte på något sätt var en kommersiell triumf kunde projektet till stor del rehabilitera Johnny Depps skadade rykte. Filmens recensioner vägde i allmänhet över åt den positiva delen av ”blandade”, och innehöll inte ett enda nedslående ord om hans porträtt av Thompsons alter ego Raoul Duke.

På det personliga planet hade Depp haft ett fyra år långt förhållande med den brittiska modellen Kate Moss, innan han träffade den blivande modern till hans barn, den franska stjärnan Vanessa Paradis när han var i Paris för att arbeta med Roman Polanskis thriller *The ninth gate*.

Tim Burton, å sin sida, hade varit med om sitt första publikfiasko med *Mars attacks!* 1996, en film som avvek från den otroligt långa raden framgångar som sträckte sig ända tillbaka till hans debut från 1985, *Pee-Wees stora äventyr*. Ett olyckligt felsteg, javisst, men inget som var stort nog för att avskräcka Warner Bros. från att erbjuda Burton 5 miljoner dollar för att regissera deras planerade återuppväckande av Superman. Få kunde klandra Burton för att han tog jobb som skarprättare vid det här stadiet i hans karriär, särskilt inte då avtalet med Warner fastställde att han skulle få full ersättning vare sig filmen blev av eller ej. Men ett kontrakt som garanterade betalning garanterade hursomhelst inte ett lyckat samarbete, vilket Burton skulle bli varse.

När Burton tog över tömmarna för Superman-projektet hade Warner Bros. redan anställt och avställt – till stora omkostnader – två författare. En tredje författare, indie-auteuren och seriefantasten Kevin Smith, hade nyligen tagits in och skrivit en helt ny manusversion med titeln *Superman Lives*. Burton – som med 1989 års storsuccé *Batman* hade förvandlat en annan av bolagets superhjälteegendomar till ett fenomen som stövlat världen runt – kände att han måste göra allt från början, så han anlitade utan dröjsmål en fjärde författare efter eget val. Warner Bros. hade skrivit avtal med en huvudrollsinnehavare, Nicolas Cage, som garanterades nästan 20 miljoner dollar, vare sig kamerorna rullade eller ej, men för varje månad som gick började Burton tvivla mer och mer på att bolaget faktiskt visste vad de ville ha. Han kände att Supermanfilmen blev "kommitterad" till döds, och liksom flera regissörer innan honom blev han stött av de många framkastade, oombedda förslag han hela tiden fick från Warner Bros. produktionsansvarige Jon Peters.

"Jag slösade i princip bort ett år", sa Burton när Warner Bros. till slut beslutade sig för att återigen lägga Supermans cape bland malkulorna efter att ha kastat bort 30 miljoner dollar. "Ett år är lång tid att arbeta med någon som du egentligen inte vill arbeta med." Efter ett par halvhjärtade försök med nya filmprojekt verkade Burton kunna omvandla sin frustration över Jon Peters till kreativ energi. Och på så vis skapade han den film som ännu idag är kronjuvelen i hans pågående arbetsrelation med Johnny Depp.

Sleepy Hollow började sin existens som en berättelse skriven av Washington Irving och den publicerades i USA och Storbritannien under 1819 och 1820 under pseudonym i samlingen *The Sketch Book of Geoffrey Crayon, Gent.* som han gav ut på egen hand, vilken också innehöll "Rip Van Winkle".

Protagonisten i originalversionen av "The Legend of Sleepy Hollow" – som inspirerats av en tysk folksaga och skrevs i en lätt stil som av en del kritiker beskrevs som "sportig gotik" – var en tafatt lärare med egendomligt utseende vid namn Ichabod Crane som mötte en huvudlös ryttare sent en kväll nära Tarrytown, New York. "Sleepy Hollow" slog genast rot i det amerikanska psyket och har de påföljande årtiondena blivit återberättad ett otal gånger inom filmkonsten och på scen (inklusive flera musikalversioner).

"Att spela Ichabod var en fantastisk utmaning. Det här är en figur som man lärde känna väl när man växte upp, och jag införlivade förstås allt från boken. Men Paramount ville inte låta mig bära en lång näsa och stora öron."

Även utan hjälp av maskeffekter lyckades Depp fånga det tafatta hos Ichabod Crane, samtidigt som han tillgodosåg bolagets begär efter en stilig huvudrollsinnehavare, här bredvid motspelerskan Christina Ricci (motstående).

Det folk kände till om "Sleepy Hollow" innan Tim Burtons påkostade film dök upp 1999 kan sannolikt spåras tillbaka till Disneys tecknade film från 1949, *Det susar i säven & Ichabods äventyr (The Adventures of Ichabod and Mr. Toad)*, vilken av ekonomiska skäl slog ihop Washington Irvings skapelse med Kenneth Grahames *Det susar i säven (The Wind in the Willows)*. Fyrtiofem år senare fick Kevin Yagher – som arbetat med effektsmink och maskeffekter och som regisserat två avsnitt av HBO-serien *Röster från andra sidan graven (Tales from the crypt)* – infallet att skriva ett manus baserat på "Sleepy Hollow", där han lade till tillräckligt mycket nytt till Irvings originalhistoria för att en långfilm skulle vara rättfärdigad.

Yagher samarbetade med Andrew Kevin Walker, som skulle komma att bli känd som manusförfattaren bakom den ohyggliga spänningsthrillern *Se7en*. Yagher och Walker tog fram ett tjugosidigt treatment (berättelse om berättelsen, ö.a.) för *Sleepy Hollow* som den högprofilerade producenten Scott Rudin 1994 köpte rättigheterna till på option, och som därefter sålde idén till Paramount Pictures. Så mycket mer hände inte på *Sleepy Hollow*-fronten förrän 1998 då Rubin skickade ett exemplar av manuset till Tim Burton, vars danskort var tomt för första gången på ett årtionde. Burton gillade vad han läste och gick med på att ta sig an projektet. Regissören ville att Johnny Depp skulle spela Ichabod Crane, men först var han – till och med i det här stadiet i Depps karriär – tvungen att övertala Paramountcheferna.

Enligt Scott Rudins förslag spelades *Sleepy Hollow* in i England (mellan november 1998 och april 1999). Burton hade tänkt hitta någon liten by att använda till filmens fond, men av olika anledningar visade det sig vara opraktiskt, så *Sleepy Hollow* gjordes slutligen i två inspelningsstudior stora nog att härbärgera detaljerade reproduktioner av ett Hudson Valley under 1800-talet, likt levande tavlor. Scenografen och filmarkitekten Rick Heinrichs beskrev den rådande estetiken som "en slags naturlig expressionism", och vad gällde specialeffekter föredrog Burton – som fyllde sina filmmiljöer med "atmosfärisk" rök – autenticitet av den gamla skolan framför datoranimationernas digitala knep, en böjelse som krävde en hel del improvisationsförmåga hos filmens tekniska arbetslag.

Burton hade inga planer på att göra den här filmen i svartvitt, men han tog in den mexikanska filmfotografen Emmanuel Lubezki, erkänd för sitt sätt att använda färgfilter för att ge filmer en väldigt distinkt färgskala. Tack vare Lubezki lyser *Sleepy Hollow* av ett utomjordiskt glimmer, och dess ton svävar någonstans mitt på skalan svartvitt-färg. Burton siktade på att "fånga den vackra, kusliga stämningen i de gamla Hammer-filmerna", och i det syftet bad regissören sin gamle kamrat Johnny Depp om en gestaltning som skulle ha platsat i en av de många populära skräckfilmer som producerades av engelska Hammer Films under dess glansdagar någonstans vid århundradets mitt. Depp berättade senare i en intervju hur han hade tolkat Burtons önskan. "Det är att spela på ett sätt som inte skulle vara acceptabelt i en vanlig film", förklarade Depp. "Om det är en smula dåligt, då är det bra, om du fattar."

(När det blev dags för de större namnen i *Sleepy Hollow* att dra ut på PR-stråket å filmens vägnar, hade man alltid referensen Hammer Films nära till hands. Det verkade nästan som att de hade blivit programmerade att ta varje möjlighet de fick att nämna Hammer - även om slutprodukten i princip helt saknar likheter med en enda av Hammers väldigt distinkta produktioner.)

Depp hade tagit för givet att han skulle få hjälp av protesdelar för att reinkarnera Irvings ursprungliga Ichabod Crane med komiska och överdrivna "fötter som kunde ha brukats som skyfflar" och en förrymd fågelskrämmas allmänna uttryck. Skådespelaren blev därför förvånad när han upptäckte att en sådan förvandling inte ingick i Tim Burtons planer. Således rotade Depp runt efter trick i sin skådespelarsäck, i jakt på en verklig person vars distinkta manér han kunde inympa i sin version av Ichabod. Depp fattade det orimliga beslutet att fokusera på den engelska skådespelerskan Angela Lansbury, med särskild tonvikt på hennes tidigaste filmer. När han sen hade lagt till bara en gnutta av Roddy McDowalls kinkighet hade Depp skapat en Ichabod som inte äger en enda av de egenskaper vi brukar förknippa med en manlig hjälteroll.

Burton agerade curator snarare än rollbesättare för *Sleepy Hollow*. Med stor skärpa plockade han likt russin ur en kaka de skådespelare som skulle omge Johnny Depp, inklusive makalösa

Motstående sida: Filmandet skedde i England och den erkände filmfotografen Emmanuel Lubezki hjälpte Burton att "fånga den vackra, kusliga stämningen" hos skräckfilmerna som producerades av det brittiska bolaget Hammer under 1950- och 60-talet.

Höger: "Du kan få en kyss på kredit." I en omfamning med Christina Ricci, som Tim Burton kallade för Peter Lorres och Bette Davis kärleksbarn.

brittiska karaktärsskådespelare som Michael Gambon, Miranda Richardson och Richard Griffiths. För rollen som Ichabod Cranes uppflammande kärlek Katrina Van Tassel valde regissören den före detta barn-hipstern Christina Ricci, som en gång fått en minnesvärd beskrivning i Cahiers du Cinéma som "amerikansk gothkulturs nästa musa". Tim Burtons beskrivning av skådespelerskan var något mer specifik: "Om Peter Lorre och Bette Davis fick ett barn, då skulle det bli Christina."

Det fanns även en stum roll, som den Huvudlöse Ryttaren, för Christopher Walken och några scener som bara tog – tack vare bluescreen – skådespelarens tilltygade huvud i anspråk, komplett med nedfilade tänder. Även om den New York-borne Walken är långt ifrån en given ryttare tränade han tillräckligt för att lyckas göra sina scener till hästrygg övertygande. Johnny Depp, å andra sidan, använde i slutändan en mekanisk häst för en del av sina ryttarplikter – precis samma utrustning som den unga Elisabeth Taylor använde i sin melodram *Över alla hinder (National Velvet)* från 1944.

I Kevin Yagher och Andrew Kevin Walkers omarbetning av den gamla "Sleepy Hollow"-sagan är Ichabod Crane en detektiv från New York vars dogmatiska tro på att alla brott kan lösas med vetenskapliga medel får honom förvisad från staden. Han får ett uppdrag som för honom genom Hudson-dalen till den lilla staden Sleepy Hollow, där tre nyligen begångna mord ger honom en utmärkt möjlighet att bevisa validiteten i sina kriminaltekniska teorier. Eftersom alla tre offren har blivit halshuggna tror invånarna i Sleepy Hollow att mördaren kommer från ett mörkt rike som inte går att studera i någon vetenskaplig bok. Tjugo år tidigare dödades en hessisk (tysk) legosoldat i ett slag i Sleepy Hollow, och begravdes sen i en omärkt grav. Ortsborna tror att det här är den övernaturliga syndabock som är ansvarig för de illdåd som just har skett i deras samhälle, alla inom loppet av en vecka.

Under förproduktionen av *Sleepy Hollow* hade Tim Burton en gnagande känsla av att manusutkastet kanske var lite platt, så han anlitade den vördade engelska pjäs- och manusförfattaren Tom Stoppard för att han skulle skoja till det med några skämt och inkludera lite högtravande, sirlig dialog. När han arbetade

med denna välbetalda men otacksamma bearbetning beslutade Stoppard att den befintliga intrigstrukturen också skulle bli bättre om han knöt filmens rollgestalter starkare till varandra. Men den mödan hade bara som effekt att handlingen blev så pass komplicerad att den interna logiken i *Sleepy Hollow* – när dammet väl har lagt sig och blodet har slutat flyta – inte riktigt klarar av noggrannare undersökningar. (Men å andra sidan, vilket många Tim Burton-fans gärna medger, har regissören aldrig bekymrat sig särskilt mycket om att skapa vattentäta intriger.)

Inledningsvis etableras Ichabod Crane som den klassiska främlingen i främmande land – en detektiv från New York City som kommer till bondvischan för att försöka arbeta bland de trångsynta, vidskepliga invånarna som möter honom där. Stadsborna i Sleepy Hollow är extremt skeptiska till Ichabods vetenskapliga detektivmetod som de betraktar som liktydig med kätteri, och hans samling nymodiga instrument (där de flesta är funktionsodugligt, visuellt godis för filmens publik) skulle lika gärna kunna vara självaste djävulens verktyg. När antalet lik fortsätter att öka accepterar ortsborna i alla fall Crane som den man som kanske kan få ett slut på slakten.

Under sin vistelse i Sleepy Hollow blir Ichabod inkvarterad hos den välbärgade familjen Van Tassel, och trots sin uppenbart kvinnliga bräcklighet trollbinds han alltmer av dottern Katrina (Christina Ricci). Frågan är bara vilken sorts trollbindning det är, för vid ett tillfälle vaknar han bara för att upptäcka hur Katrina ritar olika ockulta symboler på golvet runt hans säng. Men, som vi så småningom upptäcker, finns det bara en sann häxa under det här taket, och det är Katrinas styvmoder lady Van Tassel, spelad av Miranda Richardson i sin bästa, elegant ondskefulla, form.

Det är värt att notera att Johnny Depps prestation i *Sleepy*

Ichabod och Katrina ryggar skräckslaget tillbaka när Den huvudlöse ryttaren släpps lös ur de dunkla djupen under De dödas träd. All den *gore* som genomsyrade *Sleepy Hollow* säkrade filmens "R"-klassificering.

Hollow är bland hans bästa – allt prat om Angela Lansbury är underhållande, men ingen borde glömma att frammanandet av så extraordinära rollgestalter som Ed Wood och Ichabod Crane inte hänger på koketta knep. Trots all hans skämtsamma självförringande är Depp helt klart någon med en hel del hantverkskunnande och som alltid vill hitta nya sätt att utöka sin repertoar. Det borde inte vara särskilt överraskande att Christina Ricci, omgiven av talanger av den här magnituden, gör vad som antagligen är hennes minst manierade och starkaste rollprestation.

I frustration över sin egen brist på framsteg i gripandet av den förmoderna seriemördaren går Crane med på att låta Katrina föra honom till ortens häxa som kan leda dem till De dödas träd där den hessiska ryttaren ligger begravd. De hittar hans huvud (spelat av Christopher Walken) bland trädets knotiga rötter men ryggar sen tillbaka i förskräckelse när Den huvudlöse ryttaren i egen hög person rusar fram ur de giftiga djupen därunder.

Den första obduktion Icahbod Crane utför inom ramarna för undersökningen inbegriper Den huvudlöse ryttarens femte offer, en gravid kvinna. Burton skruvar upp skräckkänslan genom att avslöja att förutom att ha halshuggit den här kvinnan så har Den huvudlöse ryttaren även gjort samma sak med hennes foster. Om de nu ändå tänkte klassificera denna Tim Burton-film med "R", så tänkte han se till att göra det mesta av situationen.

Den blodtörstiga "storm och längtan" som släpps lös av Den huvudlöse ryttaren under *Sleepy Hollows* sista alnar får det att snurra så snabbt i publikens huvuden att ingen har en chans att bekymra sig om alla intrigluckor och allt outrett som strötts över Burtons spöklika landskap. Som väntat var det flera kritiker som skrev förteckning över alla brister i *Sleepy Hollows* manus, även om de flesta recensenterna uppskattade filmen som en härligt sinnlig njutning, och bara nämnde dess tillkortakommanden i förbifarten.

Med goda kassaresultat på hemmaplan och i resten av världen, påminde Sleepy Hollow Hollywood om att hur konstig Tim Burton än såg ut så var hans namn likväl i princip synonymt med förtjänst. Tre Oscars-nomineringar tjänade också som bonus, där en gav en statyett för bästa scenografi. Det här är en film som representerar ett fenomen nästan lika sällsynt som Den huvudlöse ryttaren: det harmoniska äktenskapet mellan konst och kommers.

The man who cried

2000

”Varje film som jag gör är, mer än den är ett karriärsteg eller något sådant, helt enkelt alltid en förlängning av lärotiden.”

Depps nästa prestation blev en biroll som romsk hästtränare i Sally Potters *The man who cried*, i vilken huvudrollerna intas av Christina Ricci (motstående, vänster) och Cate Blanchett (motstående, höger).

"För mig är romerna – jag gillar inte att säga ordet, de är ju alla människor – men de är som en parallell till indianerna i det här landet och vad som pågått ända sen den vite killen satte sin fot på amerikansk mark. Så har det varit för romerna, så The man who cried *var ett utmärkt tillfälle att lära känna de människorna och var de kommer ifrån."*

Den första delen av den rom-dilogi som Johnny Depp gjorde kring millennieskiftet (där den andra är *Chocolat*), *The man who cried*, krävde inga tunga lyft. Faktum är att Depp hade färre än ett dussintal repliker i filmen, i vilken han spelade en romsk hästdressör vid namn Cesar: den här rollen krävde av honom att han skulle, till och med i större utsträckning än i rollen som *Chocolats* Roux, bidra med en övertygande sensualitet närhelst han dök upp, vilket han lyckas med utan synbar ansträngning. I början av det nya årtusendet befann sig Depp vid en punkt i sin karriär där vart och vartannat projekt verkade inbegripa en återförening med någon från en tidigare film – i det här fallet Christina Ricci, den unga, stiliserade skådespelerskan som arbetat med honom i *Sleepy Hollow* och *Fear and loathing in Las Vegas*. Depp träffade Ricci första gången redan 1990 under inspelningen av den romantiska komedin *Kärleksfeber (Mermaids)*, då hon var en nioårig unge som gjorde skådespelardebut som lillasyster till Depps dåvarande flickvän Winona Ryder. Så det kanske var en smula bisarrt att, tio år senare, se honom ta sig an en biroll i en film där Ricci spelar huvudrollen, för att inte tala om att Depp – som föddes sjutton år innan motspelerskan med det runda ansiktet – var inblandad i hennes första kärleksscen på film. "Det är konstigt att tänka på att ha sex med honom", sa Ricci. "Men vi känner varandra tillräckligt väl för att kunna skratta åt det."

Det är inte mycket man kan skratta åt i *The man who cried*, en icke-kommersiell film som strävar mot hjältesagan. Den regisserades av Sally Potter (mest känd för den kvasimystiska genderbender-filmen *Orlando* från 1992) och sträcker sig över flera årti-

onden och halva jordklotet. Berättelsen inleds med att föräldrarna till Riccis rollgestalt Fegele hindras av en av 1920-talets antisemitiska pogromer i Ryssland, men skickar iväg sin lilla flicka till säkerheten i England. Där tvingas hon leva hos en grym fosterfamilj som ger henne namnet Suzie och förbjuder henne att tala jiddisch.

Tack vare Suzies spirande talang som sångerska lyckas hon få jobb på en parisisk kabaré där en glamorös, hårdhjärtad rysk balettflicka vid namn Lola tar henne under sina vingar. Den senare spelas av Cate Blanchett, som ger sin roll tjocka lager av blodrött läppstift samt lycksökerskans fräcka näsa för det koketta. Lolas pojkvän, operasångaren Dante Dominio, gestaltad av John Turturo, kanske inte bär läppstift men ligger inte långt efter Blanchett vad gäller vräkighet när han fyller sin pompösa, Mussoliniälskande italienare med ett ego i samma storlek som La Scala. I jämförelse med sådana vansinnigt vulgära typer kan Johnny Depps anspråkslösa hästtränare inte verka annat än blid. Ricci kan inte – till Lolas stora fasa – motstå hans glödande skönhet, eller den jordnära outsiderkultur han tillhör.

The man who cried tänjer på gränserna för vad som är acceptabelt för en icke-kommersiell film genom att bli så melodramatisk att det hade varit på gränsen till det befängda i ett mindre briljant sällskap. När Europa uppslukas av andra världskriget och nazisterna invaderar Paris tvingas Suzie lämna kontinenten. Hennes resa är lång och svår och den går till Los Angeles i sökandet efter sin sen länge borttappade far. Det räcker med att avslöja att upplösningen i Potters film ersätter operans eleganta fond med den sjaskiga tonen i en Hollywoodsk såpopera, och blir därmed en potentiell risk för diabetiker i publiken.

Before night falls

2000

”Julian Schnabel ringde och frågade om jag ville spela en liten roll som transvestit … Enkelt, tänkte jag, jag behöver bara klä mig i behå och klänning; så snällt av honom att fråga mig.”

I *Before night falls* fick Depp ta sig an två direkt motsatta roller – som transvestitfången Bon Bon (ovan) och den sadistiske vakten löjtnant Victor (höger).

Motstående: Efter att ha gjort sig ett namn som konstnär har Julian Schnabel visat sig precis lika lämpad som regissör. Hans andra kritikerhyllade framgångar inkluderar *Basquiat* och *Fjärilen i glaskupan (Le scaphandre et le papillon,* 2007).

Som nybliven pappa gjorde Johnny Depp det medvetna valet att under en tid söka sig till mindre roller som separerade honom från hans nya familj under så korta perioder som möjligt. Ett av de intressantaste av Depps projekt från den här tiden är *Before night falls*, en film som baserar sig på den hyllade, postumt publicerade självbiografin med samma titel från 1993, skriven av den homosexuelle, kubanske författaren och dissidenten Reinaldo Arenas. Det här var den andra filmen i regi av den högpresterande, joviala bildkonstnären Julian Schnabel som 1996 hade övertygat skeptiska kritiker med sin innovativa och snygga (men även extremt romantiserande) debutfilm *Basquiat*, en filmbiografi om Jean-Michel Basquiat, den avlidne New York-baserade graffitikonstnären vars naivistiska målningar gjorde honom till en sensation i 1980-talets konstvärld. Depp, som ringde till Schnabel för att gratulera honom till *Basquiat* när filmen kom, har sammanfattat den Brooklynfödde retstickan kärnfullt som ”en slagfärdig kille, även om alla hans skojiga anekdoter handlar om honom själv”.

Flera år efter *Basquiat* ringde Schnabel till Depp för att höra om han var intresserad av att medverka i *Before night falls*: han skulle göra två biroller, där den ena lite mer uppseendeväckande skulle vara Bon Bon, en praktfull transvestit som Arenas träffade på under en av sina många vistelser i Havannas ökänt grymma fängelse El Morro där han satt på grund av falska, politiskt grundade anklagelser. (Den verklige Reinaldo Arenas var en av uppskattningsvis 125 000 ”icke önskvärda” kubaner som tilläts lämna ön i en evakuering under Marielkrisen 1980. Författaren hamnade i New York City, där han begick självmord 1990 vid 47 års ålder, tre år efter att ha diagnosticerats som HIV-positiv.)

Depp kastade av sig det eventuella Hollywoodego han hade och betalade sin egen resa till filmens inspelningsplats i Mexiko för att kasta sig huvudstupa ner i sina två mindre, oavlönade roller – trots det faktum att skådespelarens superkoketta nummer som Bon Bon bara tar upp fem minuter av filmen så gör det större intryck än många av de försynta huvudrollsmän som ligger utspridda över Depps CV. Svassande på fängelsegården, som vore han född i stilettklackar, närmar sig Depp den trakasserade Arenas (spelad av den spanske skådespelaren Javier Bardem). Han smugglar till och med ut Arenas manus i vad garvade fängelsefilmsentusiaster kallar ”Papillons plånbok”.

I sin Movieline-profil över Depp skrev Stephen Rebello lite ironiskt att den unge skådespelaren har ”de bästa kindbenen i Hollywood sen Gene Tierney” – och i *Before night falls* laddar Depp sannerligen sin drag queen med mer än tillräckligt av sjaskig glamour. Den andra av de biroller Schnabel gav Depp var den sadistiske löjtnant Victor, en av Arenas fångvaktare. Depps porträtt av detta hårda, vattenkammade monster i mustasch antyder tydligt att en stark underström av förnekad homosexualitet pulserar under löjtnantens tajta uniform. Två mycket olika rollgestalter, men två sidor av samma mynt – och Depps mynt var ett stort bidrag till Julian Schnabels andra film, och bevisade dessutom att när han väl var på humör kunde skådespelaren åstadkomma mer under fem minuter på vita duken än många av hans kollegor gjorde på fem filmer.

Huvudrollsinnehavaren Javier Bardem fick en Oscarsnominering för skildringen av Arenas, medan de överväldigande positiva recensionerna av *Before night falls* gav en ovärderlig värdeökning av Julian Schnabels regissörsaktie.

Chocolat

2000

”Det finns så många där ute som är väldigt bra på grejen med ’pojke möter flicka, pojke förlorar flicka, pojke finner flicka igen’, jag önskar dem lycka till.”

Den charmanta *Chocolat* gav Johnny Depp ännu en chans att medverka i en Lasse Hallström-film. Eftersom skådespelarens privatliv hade blivit lugnare under de sju år som gått sedan *Gilbert Grape* fick den svenske regissören den här gången möta en lyckligare, sundare Depp.

I det här projektet återförenades Johnny Depp med *Gilbert Grape*-regissören Lasse Hallström, som i mellanperioden hade blivit Oscarsnominerad för sitt romantiska drama *Ciderhusreglerna (The Cider House Rules)* från 1999 (en filmbearbetning av John Irvings hyllade roman med samma titel och liksom *Chocolat* producerad av indiefilmsgiganten Miramax Pictures). Depp medgav senare att han faktiskt aldrig sett *Gilbert Grape*, mest på grund av det känslomässiga tillstånd han befann sig i under inspelningen i Austin, Texas. I ett sällsynt anfall av öppenhet pratade skådespelaren om sina erfarenheter från Gilbert Grape i åtminstone en uppmärksammad intervju (även om han, sin vana trogen, tenderade att vara svävande kring detaljerna).

”Jag var 30 när jag gjorde den”, sa Depp till tidningen Movieline. ”Det var en svår tid för mig, personligen och känslomässigt, och när Lasse kom till mig med idén om att göra *Chocolat* blev jag förvånad över att han ville genomlida något med mig igen, han måste tyckt att jag var någon slags tjurig, introvert, jobbig idiot.”

Precis som *Gilbert Grape* och *Ciderhusreglerna* bygger *Chocolat* på en roman – i det här fallet Joanne Harris bästsäljare från 1999. Och precis som Harris bok är Hallströms film en stilla och publiktillvänd vädjan till dussinmänniskan, i vilken den svenske regissören delar ut söta slevar med tröstföda till de mindre äventyrliga anhängarna av utländsk film. Även om filmen utspelar sig i Frankrike avhåller man sig från undertitlar till förmån för svagt bruten engelska bland lokalbefolkningen. New York Times kallade *Chocolat* för ”en icke-kommersiell film för folk som ogillar icke-kommersiell film”, och poängterade något överflödigt att detta inte var menat som en komplimang.

Detta andra samarbete med Lasse Hallström krävde inte att Johnny Depp mer eller mindre skulle bära hela filmen på sina axlar – som i fallet med *Gilbert Grape*. I *Chocolat* överlåter Depp – som hade dragit ner avsevärt på sin arbetsbörda strax efter att hans första barn Lily Rose föddes 1999 – scenen åt sådana som Alfred Molina, dame Judi Dench och Juliette Binoche, där alla har visat sig mer än kapabla att bära filmer på egen hand när tillfället har krävt det. Det faktum att Depp syns på vita duken un-

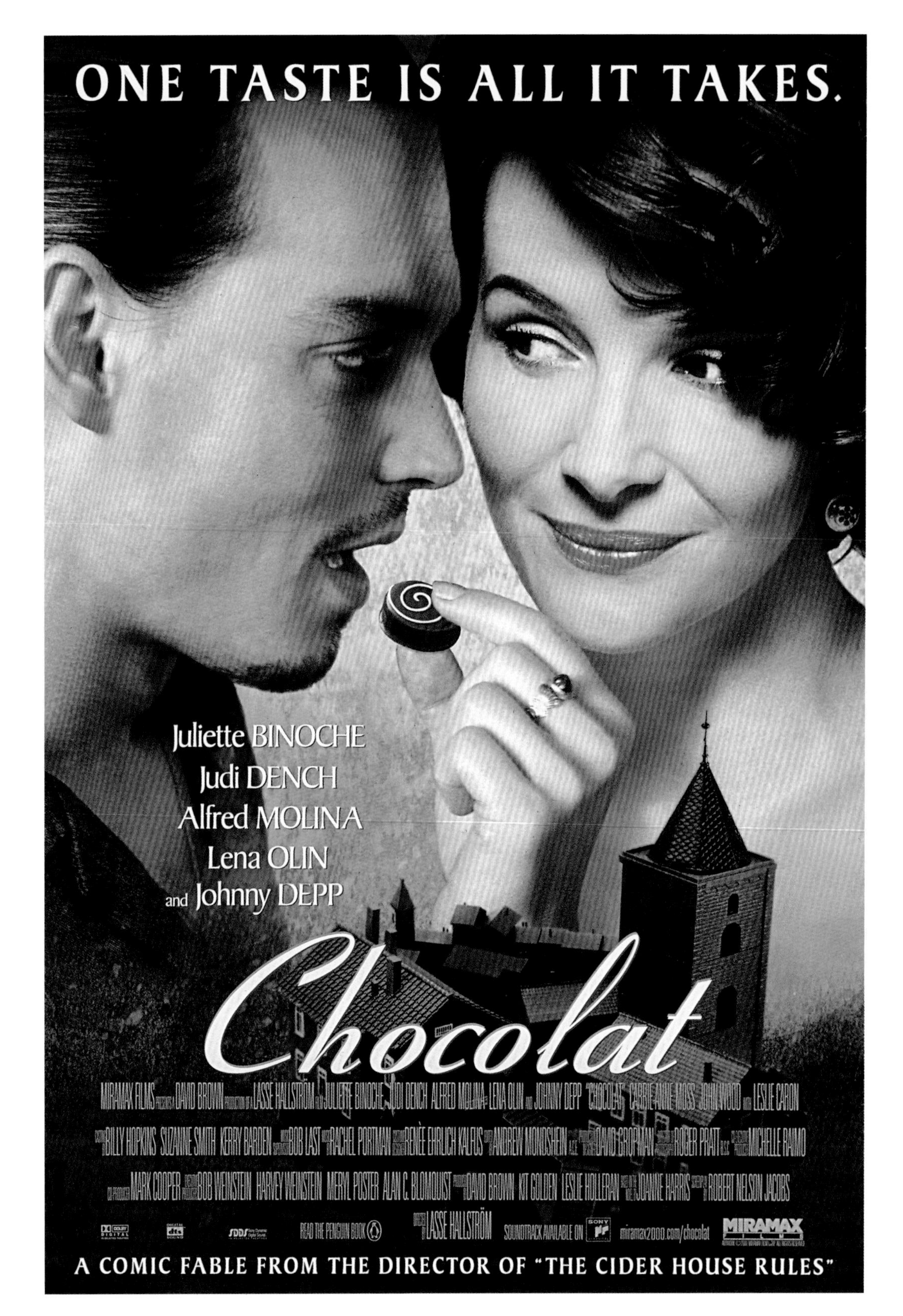

der mindre än tjugo minuter av *Chocolats* två timmar är alltså inte en lika stor förlust som det skulle ha varit i någon av hans tidigare filmer.

Huvudrollsinnehavaren Juliette Binoche spelar en mystisk och förtrollande fri själ vid namn Vianne Rocher, som landar i en konservativ fransk by à la 1950-tal. Rocher, en ensamstående mor till en snart tonårig dotter, orsakar kaos i den kultiverade anständigheten genom att öppna ett café där hon säljer handgjorda praliner med nästintill magiska egenskaper. Hallströms fantasirika saga får en del välbehövlig ballast tack vare skådespelarna i de större rollerna, där Judi Dench gör ännu en exemplarisk rolltolkning som en kvinna som glidit ifrån sin dotter och därmed blir berövad på all kontakt med sin älskade dotterson.

Den respektingivande engelska karaktärsskådespelaren Alfred Molina gör en lagom komisk rollgestaltning som borgmästare Comte Paul de Reynaud, en överspänd och sipp typ som blir fullkomligt rasande över hur denna chokladkrängande uppkomling gör intrång i hans revir. Reynaud är en hängiven katolik och han betraktar Rocher – som råkade inviga sin konfektyrbutik under fastan – som en gudlös trollpacka med fördärvlig inverkan, om inte rent demonisk, på hans mindre karaktärsfasta väljare.

”Chocolat var kul, men jag tror inte att jag är särskilt bra på det. Jag skulle antagligen

Reynaud får rätt vad gäller Rochers frigörande effekt på invånarna, ett tema som är den mjuka kärnan i *Chocolat*. Binoches rollgestalt använder sin butik som bas för sin inofficiella verksamhet som äktenskapsmäklare, äktenskapsrådgivare, kvinnosakskämpe och allmän själavårdare. Hennes hemliga vapen är chokladen, och hon tillreder och delar omsorgsfullt ut olika varianter utefter det individuella behovet. Bara det att hon håller öppet på söndagar förstärker hennes position som ”samhällsfiende nummer ett” i borgmästarens ögon.

När en mindre romsk armada anländer till en flodbank i närheten erbjuder de ett nytt fokus för Reynauds heliga vrede. Men en av romerna visar sig ha en frigörande effekt på Vianne Rocher. Det handlar förstås om Johnny Depp i rollen som en lat, smått liderlig irländare vid namn Roux, som självironiskt beskriver sig som en ”flodråtta” när han träffar Rocher först en timme in i filmen. Depp som flodråtta levererar en godtagbar variant av en artig, irländsk accent, och klarar dessutom av att riva av några fullödiga bluesackord från den akustiska gitarr som håller honom sällskap på hans vattenburna äventyr. (Det var den tidigare rockgitarristen i Depp som beslöt sig för att ge rollgestalten dess musikaliska anlag.) I *Chocolats* övergripande handling är det här en sekunda roll som mest kräver att Depp ser – som man brukade säga – ”vindpinad och intressant” ut.

Roux, som också har en dotter, inleder bekymmerslöst en kärleksrelation med mademoiselle Rocher, och visar sig också vara en hyfsad hantverkare, bra att ha till hands i butiken. Så kommer det sig att en enfaldig bondlurk tolkar en kommentar borgmästaren fäller i förbigående som en order att förklara krig mot de besökande romerna, och sätter eld på en av deras farkoster. Och där försvann Johnny Depp ut.

gråta av leda om jag var tvungen att göra den sortens grejer hela tiden.”

Som "flodråttan" Roux faller Depp för Vianne Rocher (Juliette Binoche).

Till sin egen stora förvåning och skam ger Alfred Molinas förtryckande borgmästare till slut efter och frossar i sig en av Vianne Rochers kakaobaserade skapelser dagen innan påsk. Rocher avväpnar sin forna fiende genom att gå med på att inte avslöja hans kladdiga hemlighet. Filmen slutar med att Depp återvänder till staden för att sätta bo tillsammans med familjen Rocher.

Trots sin ymniga sentimentalitet fick *Chocolat* i allmänhet ett gott mottagande av kritiker, där de flesta såg titeln som en inbjudan att gotta sig i skeppslaster med konfektyrsrelaterade metaforer. (Times Richard Schickel var bland dem som vägrade och han förebrådde Hallström för filmens ”vulgära *smak*”.) Det alltid lika pålitliga begreppet ”magisk realism” dammades av, som tidigare i fallet Depp, för att återigen användas lite ospecifikt för en film som *inte riktigt* verkar vettig att bedöma på vanligt sätt.

För en gångs skull kunde Johnny Depp förbli lyckligt ovetande om recensionerna eftersom hans upphöjda biroll knappt nämndes i rapporteringarna. Men det kan inte ha skadat att förknippas med en 25-miljonersfilm som sen genererade verkligt anmärkningsvärda 150 miljoner dollar i ytterligare avkastning världen över. Marknaden för filmisk tröstföda var tydligen mycket större än någon hade kunnat ana.

Chocolat må vara en bagatellartad, men charmig, film, men som en prestigefull och avsevärt inkomstbringande produkt för Miramax Pictures gav den bolaget tillräckliga motiv att sätta ihop en nitisk kampanj å dess vägnar. Även om filmen i slutändan misslyckades med att bärga en enda Oscarsstatyett förstärktes den globala kassasuccén av imponerande fem nomineringar – för bästa film, bästa kvinnliga huvudroll, bästa kvinnliga biroll, bästa manus efter förlaga och för bästa filmmusik.

Blow

2001

”Jag tänkte att mitt mål var att ta vad som inte verkade vara något annat än en partykille och göra en riktig man av honom som man kan relatera till.”

”Jag kände ett stort ansvar gentemot George Jung eftersom han sitter i en fängelsecell utan möjlighet till villkorlig frigivning på väldigt länge. Jag fick inte tillbringa så mycket tid med honom, men en dag kände jag hur rollen bara föll på plats. Det är ett spännande ögonblick när du känner hur du tänker och rör dig och talar som en annan person.”

”I motsats till vad folk kanske tror så är jag inte 'kapten Knäpp', jag gör bara det jag gör. Grejen med att göra film är att det alltid måste vara intressant, varför göra det annars?” Så svarade Johnny Depp 2004 när han för tretusende gången under en intervju fick frågan om han valde filmroller på grund av deras ”knas”-faktor. I och med den menlösa knarklangarkrönikan *Blow* verkade Depp vända upp och ner på den frågan: *Okej, den här gången spelar Johnny Depp gravallvarligt ... det kanske är det knäppaste han kan göra!*

En befängd idé, förstås – fast, det var ändå svårt att begripa exakt vad en skådespelare i Depps position hade att göra i vad som i princip var en steroidstinn tv-film. *Blow* bygger på den fallne knarkkungen George Jungs (spelad av Depp) biografi, och genom att skildra nästan tre årtionden av Jungs liv ”in the game” berättar den en banal historia på ett okomplicerat, linjärt sätt. Jung förlorar till slut allt och får avtjäna ett långt fängelsestraff, men det finns inte ett uns självinsikt hos honom. Inte erbjuder filmen något verkligt fördömande av eller ny inblick i den internationella droghandeln heller. Johnny Depps fans får se honom bära en underhållande samling billiga retrokläder och ingå ett äktenskap dömt att misslyckas med en hetlevrad colombiansk böna spelad av Penélope Cruz.

Vid en första anblick är det lätt att se vad som fick den lovande regissören Ted Demme (björnlik medskapare av tv-fenomenet *Yo! MTV Raps*) att förvärva filmrättigheterna till Jungbiografin. George Jung var en Bostonfödd, avhoppad collegestudent som fann sitt sanna kall i att sälja hasch, och som till slut tog flygplanslaster med gräs till USA från Mexiko. 1974 greps han för att ha smugglat mer än 270 kilo marijuana och hamnade i federalt fängelse i Connecticut. Domen skulle visa sig bli hans livs chans eftersom han blev kompis med en annan intern vid namn Carlos Lehder, som han handledde i smuggling på avancerad nivå.

Lehder råkade känna kokainets starke man i Colombia, den

legendariske Pablo Escobar, för vilken han presenterade Jung. Escobar (som slutligen dödades 1993 i en eldstrid med colombiansk polis) bestämde sig för att göra de två vännerna till sina huvudimportörer av kokain i USA. Det dröjde inte länge innan paret sades ansvara för mellan åttio och nittio procent av all kola som såldes i USA, vilket också gjorde dem i stort sett ensamt ansvariga för drogens explosionsartade popularitet. År 1985 användes den av över tjugo miljoner av USA:s invånare.

När Johnny Depp åkte för att träffa George Jung i fängelset innan inspelningen av *Blow* upptäckte han att Jung inte hade en aning om vem han var. Men när Jung nämnde Depps namn för några andra interner fick skådespelaren godkänt. ”Det är skönt att veta att jag är omtyckt i fängelset”, skämtade Depp senare. Även om det gick mindre bra att ”åldra” skådespelaren genom årtiondena fick Depps förvånansvärt trista porträtt av Jung (i en film som anmärkningsvärt brister i att kommentera knarkhandeln) den tidigare brottsmiljonären att påstå att han kände det som att skådespelaren hade stulit hans själ.

Dessvärre framstod till och med de mest fängslande händelserna i Jungs berättelse som alltför bekanta för åskådarna, och eftersom dessa händelser inträffar relativt tidigt i Demmes film får man en stark känsla av att det bara kan gå utför i George Jungs liv därefter. Och javisst, resten av filmen rullar på som ett utdraget fall mot det oundvikliga gripandet av George Jung, som

Motstående: Kokainsmugglaren George Jung (Johnny Depp) spelar högt med sin colombianska fru Mirtha (Penélope Cruz).

Ovan: En diskussion med regissören Ted Demme på inspelningsplats.

har blivit övergiven av sin gamle fängelsekompis. Man får nästan förlåta åskådaren om en känsla av lättnad infinner sig när Jungs mamma anger honom för polisen efter att han frigiven mot borgen sticker – särskilt i ljuset av att protagonistens pappa spelas av ingen annan än Ray Liotta, stjärnan i Martin Scorseses *Maffiabröder (Goodfellas)*, en film som hanterade ett liknande ämne (och visade upp liknande mängd gräll polyester och dåligt läder) med så mycket mera stil, innehåll och nyans.

Som om *Blow* inte hade tillräckligt med egna problem släpptes filmen också i maj 2001, i efterdyningarna av en mycket ambitiösare och mer prestigefylld drogfilm: Steven Soderberghs stjärnspäckade *Traffic*. Även om *Traffic* inte var mycket mer än en melodramatisk reduktion av den brittiska tv-serien i tre delar (*Traffik*) som den byggde på, tacklade filmen sitt ämne med tillräckligt allvar för att kunna plocka till sig fyra gyllene statyetter under det årets Oscarsgala. Trots allt blev *Blow* – med tanke på att den mest fick ljumma recensioner – i slutändan en hyfsad kommersiell framgång i USA.

Filmen fick en bitter efterskrift när regissören Ted Demme dog i januari 2002 när han spelade basket med sina vänner. Toxikologiundersökningen visade på spår av kokain i Demmes kropp, en grym påminnelse om den landsplåga George Jung hade släppt lös i sin egen nation årtionden innan.

From hell

2001

”Vad som lockar mig med en film som From hell är att den är rätt mörk och jag har alltid varit intresserad av mänskligt beteende.”

F*rom hells* existens började som en serieroman i tio delar skriven av Alan Moore och tecknad i svartvitt av Eddie Campbell, som publicerades mellan 1991 och 1996. Det är en mörk och fascinerande krönika som knappast snålar med de vidrigaste detaljerna ur den viktorianska erans vardag, där den extremt intelligente Moore presenterade en ny, komplex teori om den ökänt barbariske seriemördaren Jack the Ripper, som terroriserade Londons East End 1888. Författarens grundläggande tes är att drottning Viktorias sonson prins Albert (som, enligt farmor, förde ett "utsvävande" liv) gjorde en av East Ends prostituerade med barn. Drottningen skickade den framstående kirurgen William Gill att leta reda på skökan ifråga och allvarligt skada hennes minne, med de medel han finner nödvändiga.

Gill fogade sig följaktligen i Hennes Majestäts hjärtlösa befallning och fortsatte tjänstvilligt med att mörda några gatflickor till, som kan ha känt till Alberts oäkta barn. Läkaren lägger ett messianskt signum till sitt uppdrag, och brutaliteten och den rituella naturen hos hans illdåd sänder chockvågor genom hela den brittiska huvudstaden. Moore och Campbells prisbelönta krönika placerar tveklöst de fruktansvärda handlingarna i den kontext av ekonomisk strävan och politik som härskade i det sena 1800-talets England. Typiskt nog är filmversionen inte ens i närheten av att göra något liknande.

Filmrättigheterna till *From hell* förvärvades till en början av en avdelning på Walt Disney Company för strax under 2 miljoner dollar, men egendomen låg i limbo flera år innan Twentieth Century Fox tog över och gav en budget på över 30 miljoner dollar till regissörsduon Albert och Allen Hughes. Dessa Detroitfödda tvillingbröder sågs i allmänhet som svarta filmskapare, trots sin blandade härkomst; innan de gjorde *From hell* hade de regisserat två långfilmer och en dokumentär, och alla tre behandlade specifikt svarta ämnen.

Johnny Depp uttryckte ett stort intresse av att spela filmens tydligaste protagonist, kommissarie Frederick Abberline, den

”Jag har varit fascinerad av Jack the Ripper sen jag var en liten unge. Jag kastade mig över tillfället att göra filmen. Det innebar att jag fick prata med en del av de främsta Ripperexperterna och jag fick strosa genom Whitechapel om natten. Jag älskade det.”

I *From hell* spelar Depp kommissarie Abberline, en detektiv som har något att dölja samtidigt som han utreder Jack the Rippers mord.

verklighetsbaserade polis som ledde utredningen av Rippermorden. Depp har erkänt sin livslånga fascination för Jack the Ripper-morden, något som började när han råkade på en PBS-dokumentär om uppskäraren vid åtta års ålder. ”Inget liknande detta hade någonsin tidigare hänt i så stor skala och inför hela världens ögon”, sa Depp till en kanadensisk tidningsjournalist. ”Och det mest fascinerande av allt är att det fortfarande är olöst och det verkar med nästan all säkerhet förbli olöst för alltid.” Skådespelaren medgav att han läst i princip varenda betydande bok som skrivits om Jack the Ripper och påstod att den centrala hypotesen i *From hell* var ”inte det minsta långsökt”.

Johnny Depp fick följaktligen rollen som Frederick, vilket tvingade filmens manusförfattare, Terry Hayes och Rafael Yglesias, att skära ner betydligt på åldern hos den riktige Abberline och bortse från hans buttra sätt. De två författarna gjorde oräkneliga förändringar av Moores och Campbells originalberättelse, där den mest avgörande antagligen var deras skildring av Abberline som välfungerande opiumberoende som, under drogpåverkan, får föraningar om framtida mord. (I thrillern *Minority report* från 2002 placerade Steven Spielberg den kontrollerade, förebyggande användningen av sådana visioner i en sci-fi-kontext.) En omstöpning av en serie i tio delar till en två timmar lång film är dömd att bortse från mycket av ursprungsmaterialet, men Hayes och Yglesias lade även till så många nya element att deras version av *From hell* nog borde ha haft en annan titel.

För den som – till skillnad från bröderna Hughes och deras manusförfattare – har minsta kännedom om det viktorianska London och det ännu olösta Ripper-fallet kunde *From hell* bara erbjuda några smulor. Johnny Depps prestation var tillräcklig för hans egna, högt ställda krav, och hans londondialekt fick till och med lovord från flera brittiska kritiker. Filmens höjdpunkter består till största del av Depps bildade duster med den korpulente kollegan polisinspektör Peter Godley (spelad av den skotske

”Man kan prata om hjälte, antihjälte, motvillig hjälte, eller vad som helst, men för mig var Abberline en intressant möjlighet att spela en hängiven polisinspektör som inte bara fick ta itu med demonen Jack the Ripper och det mysteriet, han fick också ta itu med sina egna demoner samtidigt.”

”Det var inte tänkt som ett affärsförslag.” Den prostituerade Mary Kelly (Heather Graham) försöker kyssa Abberline, som först står emot men sedan ger efter.

Uppslaget: Porträtt av Jerome De Perlinghi, 2001.

skådespelaren och Harry Potter-kändisen Robbie Coltrane). På det stora hela valde dock bröderna Hughes att göra *From hell* till en mera rättfram mordgåta, befolkad av en utnött periods arketyper, invånare i ett slags pittoreskt Låtsaslondon som inte ens skulle ha skrämt upp Dick Van Dyke. När det kom till att dela ut filmens många fnaskroller lyckades rollbesättarna skickligt leta upp en grupp engelska karaktärsskådespelare vars magra, något undernärda utseenden trovärdigt förmedlade det viktorianska Londons hårda tillvaro. Men deras mest framträdande kollega, Mary Kelly, spelas av Heather Graham - själva urbilden av den välnärda, moderna amerikanen komplett med gnistrande leende. Det är hon som i slutändan - någon gång mellan grändskiften, får man tro - blir föremål för den förmodat stoiske kommissarie Abberlines hollywoodska tillgivenhet. Bara Grahams själva närvaro räcker för att få filmen ännu mer ur balans och hennes ostadiga grepp om den brittiska engelskan sätter hela konstruktionen i gungning.

När *From hell* släpptes på dvd 2002 avslöjade utgåvans kommentarspår att Fox hade hyst en del allvarliga tvivel angående den här filmen - men dessa gällde uteslutande valet av Johnny Depp för rollen som kommissarie Abberline. Bolaget ifrågasatte inte Depps skicklighet som skådespelare, eller hans bevisade förmåga att hantera ett främmande uttal - liksom många av kollegorna i branschen misstänkte Fox högsta chefer att skådespelarens godtyckliga sätt att välja roller allvarligt underminerade honom som huvudrollsinnehavare. Kanske skulle de ha riktat sin oro mot andra aspekter av produktionen, för med Depp ombord tjänade *From hell* - trots redan nämnda brister - in högst respektabla 75 miljoner dollar världen över.

”Jag vet inte vad som är läskigast, kommersiellt misslyckande eller kommersiell framgång.”

Pirates of the Caribbean

Svarta pärlans förbannelse

2003

”När en liten unge kommer fram till mig på gatan och ropar ’Hallå, det är du som är den där kapten Jack Sparrow!’ blir jag alltid väldigt rörd.”

JOHNNY DEPP GEOFFREY RUSH ORLANDO BLOOM KEIRA KNIGHTLEY

A JERRY BRUCKHEIMER PRODUCTION

PIRATES of the CARIBBEAN

THE CURSE OF THE BLACK PEARL

WALT DISNEY PICTURES PRESENTS IN ASSOCIATION WITH JERRY BRUCKHEIMER FILMS JOHNNY DEPP GEOFFREY RUSH "PIRATES OF THE CARIBBEAN: THE CURSE OF THE BLACK PEARL" A GORE VERBINSKI FILM ORLANDO BLOOM KEIRA KNIGHTLEY AND JONATHAN PRYCE MUSIC SUPERVISOR BOB BADAMI MUSIC BY ALAN SILVESTRI VISUAL EFFECTS AND ANIMATION BY INDUSTRIAL LIGHT & MAGIC COSTUME DESIGNER PENNY ROSE EDITED BY CRAIG WOOD STEPHEN RIVKIN, A.C.E. ARTHUR R. SCHMIDT DIRECTOR OF PHOTOGRAPHY DARIUSZ WOLSKI, A.S.C. EXECUTIVE PRODUCERS MIKE STENSON CHAD OMAN BRUCE HENDRICKS PAUL DEASON PRODUCED BY JERRY BRUCKHEIMER SCREENPLAY BY TED ELLIOTT & TERRY ROSSIO AND JAY WOLPERT DIRECTED BY GORE VERBINSKI

JULY 9

Vänster: Det djävulska leendet glimtar till när Jack Sparrow vänder sig bort från smeden Will Turner (Orlando Bloom).

Motstående sida: Svarta Pärlans piratbesättning drabbar Port Royal i jakten på den saknade guldmedaljong som kommer att lyfta förbannelsen (överst). Kapten Jack har gått ner sig, och inte för första gången (nederst).

"Vem skulle inte vilja spela pirat? När jag först fick erbjudande om rollen så trodde jag att det var ett skämt. Varför skulle Disney vilja ha mig i den rollen? Jag blev mest chockad av alla."

När en artikel i Variety i oktober 2000 skrev att Walt Disney Studios, under ny ledning av Peter Schneider, höll på att utveckla en rad storfilmer baserade på åkattraktionerna i det egna bolagets nöjesparker - inklusive åkattraktionen Pirates of the Caribbean, som hade både ljudspår och rörliga dockor - orsakade nyheten inte ens en krusning av nyfikenhet i Hollywood. Möjligen höjdes några ögonbryn året därpå när Disney tillkännagav att actionfilmsgiganten Jerry Bruckheimer, som nyligen ingått en osannolik allians med bolaget, skulle leda deras illavarslande piratprojekt. Men när bolaget 2002 tillkännagav att Johnny Depp skulle spela huvudrollen i *Pirates of the Caribbean: Svarta pärlans förbannelse (Pirates of the Caribbean: The Curse of the Black Pearl)* uppslukades Hollywood praktiskt taget av en häpnadens tidvattenvåg.

Och den som verkade mest chockad över denna bisarra utveckling var ... Johnny Depp. Skådespelaren hade haft ett möte med en av Disneys toppchefer för att diskutera eventuella framtida samarbeten, och sa då något om att "Jag skulle vilja göra någon barngrej", med sin egen unga avkomma i tankarna. Och så fort Disneypampen nämnde bolagets planer på en "Pirates"-film hasplade Depp ur sig: "Jag är på!"

Flera månader senare försökte skådespelaren fortfarande lista ut varför han fattat detta överilade beslut, som direkt tycktes kränka i stort sett varenda konstnärlig princip som han någonsin omfamnat. "Vet du, jag kan inte förklara det", sa Johnny Depp, som fick 14 miljoner dollar för att medverka i filmversionen av åkattraktionen. "Det var bara en känsla. Och den hade alla möjliga förutsättningar att bli fruktansvärt pinsam."

Ja, verkligen. Alla större bolag i Hollywood hade efter 1995 skickligt styrt förbi allt som var ens i närheten av dödskallar och korslagda benknotor, då den finska actionfilmsregissören Renny Harlin lät flickvännen Geena Davis spela huvudrollen i *Cutthroat Island*, den utstuderat fröjdiga berättelsen om en orädd kvinnopirat. När Harlin väl hade applicerat sin ensidiga vision på varje led av produktionen blev hans färdiga film ett stirrigt, felnavigerat publikfiasko av mytiska proportioner som misslyckades med att hämta hem ens en tiondel av sin 115-miljonersbudget på sin väg mot hyrfilmshavets botten.

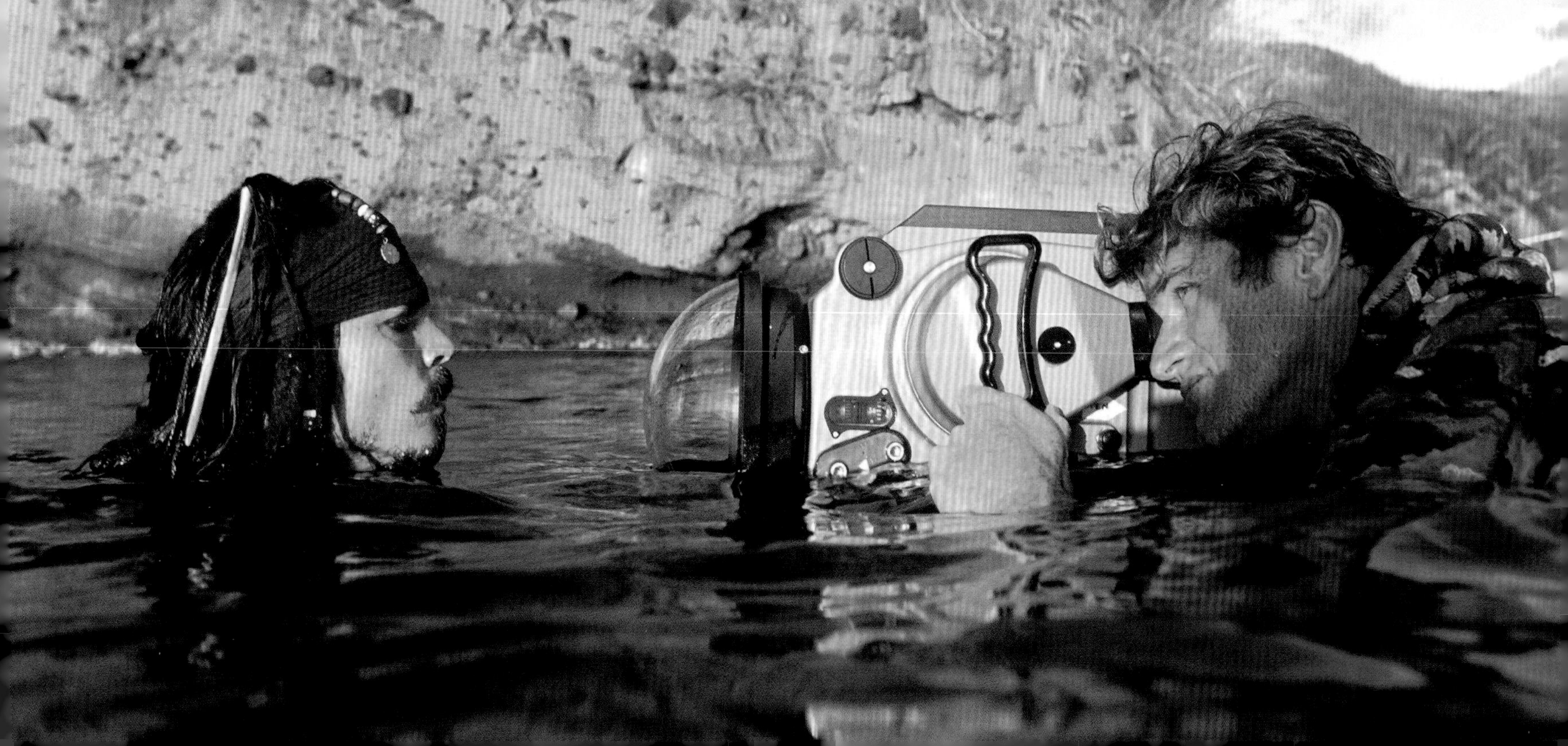

Strandsatt på en öde ö med en flaska rom och guvernörens dotter Elizabeth Swann (Keira Knightley) som enda sällskap.

”Alla roller du spelar innehåller delar av dig själv, och det finns en del av mig i kapten Jack. Men nu finns det antagligen mer av kapten Jack i mig. Han lämnar mig inte ifred. Han dök upp i morse när jag skulle få iväg mina barn till skolan, men jag lyckades schasa bort honom.”

Men å andra sidan – när en filmgenre verkar stendöd finns ändå oftast möjligheten för den att återfödas vid senare tillfälle i en kombination av det perfekta projektet och ännu bättre tajming. Just den här gången var det Johnny Depps oväntade *Pirates of the Caribbean* som fick miljontals människor att peppra sina samtal med svårbegriplig piratsvada.

Pirates regissör Gore Verbinski kanske inte rankades som någon a-talang vid den här tiden, men han hade redan visat sig vara en mångsidig ung underhuggare med barnfilmen *Mus i sitt eget hus (Mousehunt)* från 1997, den hyfsade *The Mexican* (2001) som skrevs särskilt för Brad Pitt och Julia Roberts, och *The Ring* – den fenomenalt framgångsrika nyinspelningen från 2002 av den japanska psykologiska skräckfilmen, i sin tur från 1998. Det skulle visa sig att det fanns den sorts samhörighet mellan Verbinski och hans huvudrollsinnehavare som kan vara avgörande för om det ska bli ett glatt och produktivt samarbete, eller bara ännu en dag på jobbet. Båda två kom från den amerikanska Södern (i Verbinskis fall Tennessee) och båda hade tjänstgjort i punkinfluerade rockband innan de dragits in i filmbranschen. Duon delade därför en känslighet och humor som blev väldigt tydlig första gången Verbinski såg Depps visuella rolltolkning, en högst ovanlig pirat vid namn kapten Jack Sparrow. Som hela världen numera känner till inkluderade detta kopiösa mängder eyeliner, en röd scarf, guldtänder, pärlprydda skäggflätor samt en kaskad tovade hårtestar som tyngdes ner av ett otal små amuletter av stor betydelse för den stridsärrade sjömannen. ”Gore kom in, betraktade och sa ’Ja, precis så’”, minns Depp. ”Han uppmuntrade det, förstod det och han såg humorn.”

Disneys direktörer kom in, betraktade och fick nästan hjärtinfarkt när de tänkte på vad som skulle kunna hända med deras investering på 140 miljoner i händerna på den här dekadenta varelsen. Jerry Bruckheimer minns att han fick följande intryck av Disneys inställning, när bolagets högadel besökte inspelningen: ”Vad sysslar de med? De har ju en mascarasminkad pirat!” Depp var beredd att gå på plankan för att skydda sin bisarra skapelse och minns att han gav Disney ett ultimatum: ”Ni måste

lita på mig. Och om ni inte kan lita på mig, sparka mig." Självklart skadade det inte att han hade en Hollywoodpotentat som Bruckheimer på sin sida. Ingen blev sparkad.

Sin vana trogen baserade Johnny Depp ännu en gång sin filmroll på specifika populärkulturella ikoner. I just det här fallet – för alla som inte ens sneglat mot en veckotidning det senaste årtiondet – var skådespelarens främsta inspirationskälla Rolling Stones gitarrist Keith Richards, med en liten nypa av den charmigt sinnesförvirrade tecknade skunken Pepé Le Pew. (Konstigt nog hade manusförfattarna Ted Elliot och Terry Rossio [med meriter som den animerade succén *Shrek* från 2001] Bugs Bunny i bakhuvudet när de satte ihop Jack Sparrow.)

Enligt Depp själv var han helt omedveten om filmens kommersiella potential under själva produktionen. "När vi gjorde den kändes det aldrig som att vi gjorde en succéfilm med en enorm budget", sa han. "Det var inte förrän jag såg den första trailern som jag bara 'Herregud, vad var det där?'"

Vilket är en mycket bra fråga eftersom – och detta tack vare Johnny Depps egensinniga bidrag – ingen av *Pirates of the Caribbean*-filmerna liknar någon av de maritima 1600-tals-äventyr som gjordes under 1900-talet. Det finns självfallet ytliga likheter, men Gore Verbinski var fast besluten att fånga det lager av

”För en kille som mig, som har klamrat sig fast i den här branschen de senaste tjugo åren, att äntligen få vara med i en succé, det är oväntat och väldigt rörande.”

Den här sidan och uppslaget: Med inspiration från Keith Richards hamnar Depps solstingsyra sjörövare i – och tar sig ur – alla möjliga livsfarliga situationer under filmens alla 143 minuter.

lort som låg över de verkliga piraternas vardag. Men trots den imponerande lista med namn som fanns i *Pirates* övriga ensemble så är det Depps kapten Jack Sparrow som fångar din blick så fort han visar sig på duken. Kommer han att vinna sin ständiga Looney Tunes-artade kamp med tyngdlagen? Är mannen en idiot eller ett snille - eller kanske någon slags schaman? Är han hög, full, eller lider han bara av allvarligt solsting? Och hur i hela fridens namn klarar han av att avfyra alla dessa sorglösa kvickheter, till och med när någon skörbjuggssjuk hejduk pressar ett rakbladsvasst svärd mot hans strupe?

Vilket inte betyder att *Pirates of the Caribbean: Svarta pärlans förbannelse* bara är en räcka ihopsurrade klimaxscener med Jack Sparrow. Depps rollgestalt råkar bara vara en nyckelfigur i en bullrig, invecklad och märkligt fängslande historia som inbegriper en fiendepirat vid namn Barbossa (utsökt gestaltad av Geoffrey Rush) som har stulit Sparrows skepp, och nu är på desperat jakt efter en sista bit stulet aztek-guld som kommer att befria honom och hans mannar från en förbannelse som förvandlar dem till ickefysiska gastar varje fullmåne.

Första gången vi möter Depp kliver han av en mast på ett sjunkande skepp för att sen släntra iväg på en pir i Port Royal, Jamaica, där han träffar på den fördömda Barbossa. I ett missriktat försök att få tillbaka sitt guld kidnappar den senare Elizabeth Swan, dotter till öns guvernör men minsann (som hon tolkas av den engelska ingenyn Keira Knightley) inget mähä. En barndomskamrat till Elizabeth, svärdssmeden Will Turner (lite olämpligt spelad av den finlemmade Orlando Bloom), övertalar Jack Sparrow att ta upp jakten i ett skepp stulet från den brittiska flottan, vilket i sin tur förföljs av *HMS Dauntless*, under befäl

av Elizabeths trolovade, den stele kommendör Norrington.

Även om kapten Jacks sinnesnärvaro under följande äventyr ute på öppna havet kan ifrågasättas, så vaknar han alltid omedelbart till liv vid ljudet av ett svärd som dras ur sin skida – en situation som framställer den gode kaptenen som en skum och ironisk reinkarnation av alla stora Hollywoodpirater, från Errol Flynn till Douglas Fairbanks Jr. Och Depp har aldrig behov av att visa publiken att han är "med" på skämtet, precis som i *Ed Wood*. Att spela gravallvarligt är bara en del av en prestation som är, som man säger, "bättre än den behöver vara". Eller, som i det här fallet, bättre än den borde vara.

När Disneylands lansering av *Pirates of the Caribbean: Svarta pärlans förbannelse* började närma sig i juni 2003 var det inga stora förväntningar som omgav filmen, som allmänt sågs som en vanartig hybrid utan större betydelse för samtida filmkonst. Bland det branschfolk som bevistade förhandsvisningar var det ändå några av de mer lyhörda åskådarna som gick därifrån med den bestämda känslan att de kanske just hade sett något mycket speciellt. Ändå var det ingen som skulle ha förutspått att Depps och Disneys oäkting snart skulle härja sig in i rekordböckerna som ett världsomseglande kulturfenomen värt 3 miljarder dollar, som sen (till dags dato) knoppat av sig i tre pengaalstrande uppföljare, och som gjorde det möjligt för Johnny Depp att köpa sin egen privata ö i den karibiska övärlden. (Den första *Pirates*-filmen tjänade in 300 miljoner dollar i USA och 350 miljoner i resten av världen.)

I sådana här situationer tenderar filmkritikers åsikter att devalveras intill ovidkommande, och så även här. Oavsett så är det en smått underhållande syssla att gå igenom recensionerna av den första *Pirates*-filmen – bara den förvirring som Depp lyckades skapa gör det mödan värt. En del kritiker knorrade lite över filmens 143 minuter, men de flesta domarna föll på den positiva sidan och givetvis gick Depp plus på lovordskontot. (Filmen gav honom även en Oscarsnominering.) Men det märkliga är att så få kritiker tillät sig själva att uppleva den rent sinnliga njutningen i det hela, vilken trots allt är skälet till att sådana mängder med människor gick för att se filmen.

Betydelsen av Johnny Depps roll för *Pirates*-filmens kassatriumf har varit föremål för viss debatt sen filmens premiärhelg i juli 2003, och som vanligt i filmdiskussioner kan man aldrig nå en enhällig slutsats. Men att döma av hans översvallande hyllningar av Depp verkade den Oscarsvinnande motspelaren Geoffrey Rush inte hysa några tvivel om saken. ”Det var häpnadsväckande att se Johnny skapa den här rollgestalten”, sa Rush. ”Det var en så cool framställning, helt mästerligt gjord. Han är en briljant skådespelare.”

Bland alla Depps gelikar i Hollywood är Robert Downey Jr. kanske den enda värdig att kyssa en av kapten Jacks alla ringar. Man skulle kunna påstå att både *Iron Man*- och *Sherlock Holmes*-filmerna har blivit de enastående, internationella succéer de är tack vare Downeys förmåga att skapa två distinkta, likvärdigt minnesvärda huvudrollsgestalter som är minst lika motsägelsefulla och fåfänga som Johnny Depps kapten Jack. Men utan att förringa Downeys kvicksilverartade närvaro kan man hävda att han antagligen saknar något väsentligt som Depp faktiskt tar med sig in i matchen: sex appeal. Med tanke på att People 2003 tilldelade Depp den omtalade och tveksamma äran att vara ”The Sexiest Man Alive”, kan man nog påstå att även om han närmade sig 40-årsåldern så hade Depp de genetiska gåvor i behåll som en gång på 80-talet placerat honom på *21 Jump Street*, och att den avgörande stunden i hans karriär var då han hittade en gestalt som lät honom kombinera sitt klassiska filmstjärneutseende med all den skicklighet, kvickhet och påhittighet som han förvärvat under föregående årtionden.

Det är knappast ovanligt att en filmstjärna överöses med lovtal i stil med ”Jag kände honom på den tiden ...” efter att en av dennes filmer rensat upp i biljettluckan, och Harvey Weinstein, som var med och startade indiebolaget Miramax och så småningom The Weinstein Company, är inte någon som i allmänhet håller låda om något han inte investerat i. Men i efterdyningarna av den första *Pirates*-filmen verkade den björnlike bolagschefen inställd på att reda ut saker å Johnny Depps vägnar. ”Han har blivit utfryst i flera år”, sa Weinstein. ”Han ansågs för riskabel för en del av toppgrejerna. Många kommer att få slicka hans röv nu.”

Once upon a time in Mexico

2003

”Det här var en chans att spela en kille som inte är riktigt vad du förväntar dig av en CIA-agent.”

Vänster: Den oärlige agenten Sheldon Sands (Johnny Depp) ihopslingrad med den förrädiska Ajedrez (Eva Mendes).

Motstående sida: Med nästan all säkerhet den enda gången en Judy Garland-biografi skymtar i en spagettivästern.

Den enda film Johnny Depp gjorde kalenderåret 2001 var *Once upon a time in Mexico*, den tredje delen i hans vän regissören och manusförfattaren Robert Rodriguez "Mariachi"-trilogi. (De första två delarna var *Falsk mördare [El Mariachi]* från 1992 [som tjänade in 2 miljoner dollar i USA trots sin minibudget på 200 000 dollar] och *Desperado* från 1995 där – precis som i *Once upon a time* – Antonio Banderas spelade Mariachi, den existentiella revolverhjälten från den första filmen.) Depp hade bokats för bara nio dagars tagning i juni 2001, men han påstås ha uppskattat erfarenheten så pass att han bönföll Rodriguez om att ge honom en andra, mindre biroll innan han flög tillbaka till Paris. Depp till och med komponerade och spelade in ett musikspår till sin rollgestalt som Rodriguez sen använde i filmen.

Rollen som Johnny Depp hade anlitats för att spela var, för en skådespelare med om så bara ett minimum av talang, lite som talesättets lättsnodda godis: den korrupta och karaktärslösa CIA-agenten Sheldon Sands, en man så avskydd inom sin egen byrå att han lyckas få sig själv förpassad till en loppäten mexikansk helveteshåla – med andra ord, den sortens plats där Robert Rodriguez gillar att iscensätta sina "Mariachi"-filmer.

Även om *Once upon a times* ensemble innehåller två inbitet överspelande skådespelare i Willem Dafoe och Mickey Rourke är det Johnny Depp som stjäl showen så fort han får chansen, och är den som lyfter filmen i nivå med en nästintill respektabel spagettivästern. (Den här gången valde Johnny Depp en enda förebild för den oförbätterliga spionen Sands: en dessvärre anonym Hollywoodhöjdare vars avskyvärda intrigerande hade gjort skådespelaren mållös när de hade arbetat tillsammans.)

Men där ursprungliga spagettivästerns – en genre där den italienska regissören Sergio Leone låg i framkant vid mitten av 60-talet – ofta var skitiga moralsagor, träffsäkert avfyrade verkade Rodriguez inställd på att göra sin film så ogenomtränglig och invecklad som möjligt. Formellt uttryckt väljer han att använda internskämtsliknande tillbakablickar till en påhittad, "tredje" Mariachifilm som är tänkt att existera i något slags svart hål mellan *Desperado* och *Once upon a time*. Johnny Depp har tydligen lika roligt som alla andra inblandade då han i princip utmanar oss att *inte* avsky den laglösa CIA-agenten Sands (som, enligt Depps förslag, använder en tredje, fejkad arm i vissa scener). Men å andra sidan sa Rodriguez senare: "Jag tror inte att man egentligen kan avsky en Johnny Depp-roll, hur rutten han än är."

Filmens handling närmar sig det barocka, där Sands snur-

rar in sig i invecklade affärer med drogkarteller, avbrutna kuppförsök och vindlande spiraler av svek som i slutändan leder till att han förlorar synen – men han är ändå fast besluten att möta sin fiende i en pistolduell. Med en gnutta svart, men också förlösande, humor visar Rodriguez hur Sands leds mot sin konfrontation av en liten pojke.

Även om Rodriguez proppar sin labyrintiska skjutfest med så mycket oväsen och ursinne som det bara går blir *Once upon a time* till sist inget annat än ett blodindränkt utropstecken, helt utan betydelse. Kritikerna tvekade inte att påpeka detta för filmens regissör: Newsweeks John Anderson beskrev Rodriguez senaste insats som ”en film som blir så fel så snabbt att det är som om en meteor var på väg mot inspelningsplatsen och alla måste evakuera”. Anderson var dock tvungen att medge att denna kosmiska frontalkrock till film ändå hade i alla fall en sak som talade för den: Depp-faktorn.

Once upon a time gjordes extremt snabbt, enligt samtida Hollywoodstandard, mest för att Rodriguez var tidig med att använd digitalkameror. Eftersom sådan utrustning dessutom tar bort kostnaden för film kan en regissör filma så många timmar han anser lämpligt. Vilket låter som total kreativ frihet, tills man börjar fundera på den exponentiella ökningen av antal klipprumsbeslut som möter regissören när det är dags att komprimera ett stort urval tagningar till standardlångfilmens längd. Den här processen kan ha bidragit till att *Once upon a time in Mexico* inte kom till biograferna förrän i september 2003 – mer än två år efter att inspelningen var över. Detta visade sig vara en mycket lämplig försening eftersom filmen hamnade i salongerna bara några få veckor efter att *Pirates of the Caribbean* hade fastställt Depps status som internationell filmstjärna. Robert Rodriguez spenderade 29 miljoner dollar på att göra en film som tjänade in över 55 miljoner på hemmaplan och över 30 miljoner utomlands. När en film gör en så nätt liten vinst är det ingen som bryr sig om kritikernas gnat om rörig intrig.

Secret window

2004

”Det är alltid härligt att gå upp i ringen med skådespelare som man respekterar. Men om du står där ensam så är det ganska utmanande.”

"Det jag har starkast minne av är att läsa manuset. Jag läste tio, femton sidor och tänkte 'Wow, det här är otroligt välskrivet. Dialogen är genuin och inte tillkämpad, och det finns en intressant tankegång i den.'"

Finjustering med regissören David Koepp (vänster), som även skrev manuset för den här filmbearbetningen av Stephen Kings novell. Depp spelar den erkände mysterieförfattaren Mort Rainey vars liv faller samman när han konfronteras med ett spöke ur sitt förflutna.

Ännu en av Johnny Depps skruvade kast – en film som får dig att undra: "Är den här mannen så rik och berömd att han börjat använda *I Ching* för att fatta stora karriärsbeslut?" Men det betyder inte att den här skapliga lilla spänningsfilmen på något vis är *stötande*, en film där även kusligt begåvade skådespelare som John Turturro, Maria Bello och Timothy Hutton medverkar. Dessutom är David Koepp manusförfattare och regissör, och bland hans senaste meriter fanns sådant som att ha präntat ner manus för internationella publiksuccéer som *Jurassic Park*, *Spider-Man* samt *Indiana Jones och kristalldödskallens rike*. *Secret window* var bara Koepps tredje film som regissör, så kanske var han ute efter en säker häst när han valde att filma Stephen Kings novell, vilken publicerats med titeln *Hemligt fönster, hemlig trädgård (Secret Window, Secret Garden)*.

Kanske är det Johnny Depps iögonfallande ovilja att – med det självklara undantaget *Dead man* – kludda med något som skulle kunna verka ens det minsta stötande som gör den här alldagliga underkategorin bland hans verk så förbluffande. Vi pratar, trots allt, om en skådespelare som under en längre tid haft ett kulturellt kapital som oftast garanterar en avundsvärd nivå av konstnärlig frihet, en tillgång som konfiskeras bara då man slutar använda hjärnan och låter autopiloten styra karriären. Det lite märkliga hos den medietillvända men likväl tillknäppta Depp är hans sätt att dras med i olycksprojekt som till exempel *I sista sekunden* för att han finner oförklarlig identifikation i manuset. Och så har han också detta återkommande och lite perversa begär att spela "den vanliga killen", den anonyma knegaren som han föreställer sig "sätter ut vattenspridaren på baksidan åt sin unge".

Liksom de flesta avstickare där Depp spelat underhuggare tillhör *Secret window* helt klart en sliten genre, i det här fallet den kategori som får oss att ifrågasätta protagonistens upplevelse av "verkligheten", för att slutligen försöka överlista oss med ett sista "avslöjande" eller vändning. De där tilltagen blir mindre intressanta för varje år som går eftersom de vädjar till en publik utan både tidigare tillgång till och förkunskaper om genrefilm – vilket ger filmskaparna den föga avundsvärda uppgiften att ständigt försöka vara i alla fall en tanke före "flocktänkaren". (Man skulle kunna kalla fenomenet för "M. Night Shyamalan-gåtan".)

Secret windows filmaffischer upptas av en närbild på den tidi-

gare kaptenen Jack Sparrow, med ett uttryck av total bestörtning liksom ett prydligt getskägg och ett par svartbågade glasögon som tydligt konnoterar Den lärda mannen. Rollgestalten ifråga går under namnet Mort Rainey, en populär romanförfattare inom genren skräck/deckare som nu befinner sig i slutskedet av en skilsmässa medan han sunkar omkring i sin avlägsna stuga i en sjavig morgonrock, samtidigt som han försöker bli fri sin kroniska skrivkramp. Raineys inrökta solipsism störs en dag när han får besök av en passivt aggressiv bondtölp med det smått oroande namnet John Shooter (vilken spelas av John Turturro som om han befunnit sig i kylförvar sen han spelade i *O, brother, where art thou?* år 2000). Den inställsamma inkräktaren ger Rainey ett gammalt manus: ett förmodat bevis för att en av Raineys historier är ett ordagrant plagiat av något Shooter skrivit flera år dessförinnan. Han kräver upprättelse.

Trots det smakfulla Philip Glass-stycket som ljuder i bakgrunden tar allting ganska snart en mallartad vändning när Rainey försöker motbevisa Shooters anklagelser. Depp blir alltmer upp-riven, tills hans snart före detta fru Amy (spelad av Maria Bello) börjar – enligt genrens alla regler – bli riktigt bekymrad över hans mentala tillstånd. Givetvis bekräftas hennes kvinnliga intuition i en snabb händelseutveckling, vilken publiken antingen betraktade som skrämmande och oroande, eller helt enkelt skrattretande.

Secret window hade kanske varit okej som ett avsnitt av 1960-talets mystikserier, som *The twilight zone* eller *The outer limits*, men kritikerna pekade mer än glatt ut på hur många punkter David Koepps film brast enligt samtida bedömningskriterier. Och ännu en gång befanns Johnny Depp – enligt de mediala spelreglerna – oskyldig till det stora antal anklagelser som riktades mot projektet som helhet, och fick faktiskt en hel del beröm för sitt bidrag.

Trots sin vana att hålla den emotionella vindbryggan uppe under intervjuer avslöjar Depp då och då en glimt av ett, antagligen genuint, personlighetsdrag som särskiljer honom från de flesta andra underhållare på hans inkomstnivå: ärlighet. Under lanseringen av *Secret window* snackade han upp filmen genom att erbjuda samma slutsats som dess många kritiker dragit: ”Det är klassisk Stephen King”, sa Depp. ”Och så plötsligt tänker man: 'Vafan! Skojar du med mig?'”

Happily ever after

2004

”Jag känner mig mer bekväm i Europa. Det är verkligen skillnad, förstår du. Jag kommer aldrig att förstå odjuret, Hollywoodmaskinen. Den stora besten. Jag vill inte förstå den.”

Vänster: Den franska affischen för *Il se Marièrent et Eurent Beaucoup d'Enfants.*

Nedan: På inspelningsplats i Paris för *Happily ever after*, en fransk film av Yvan Attal i vilken Depp spelar L'Inconnu (Den okände).

Motstående: Gabrielle (Charlotte Gainsbourg) uppslukas av den stilige främlingen som hon stöter på när hon lyssnar på samma Radioheadlåt som han i en skivbutik.

Föregående sida: Vid en presskonferens i Toronto strax efter filmens premiär.

P*irates of the Caribbean*-filmernas obönhörliga framgång gav Johnny Depp ett oberoende som var ännu större än det han envist skapat genom nästan två årtionden som bångstyrig "karaktärsskådespelare i en huvudrollsinnehavares kropp". Således hittar vi denna kuriositet bland hans samlade verk: en franskspråkig indiefilm där den nyligen upphöjda internationella megastjärnan lånar ut sitt imponerande kulturella kapital till hela två scener.

Vid spakarna för *Happily ever after (Il se Marièrent et Eurent Beaucoup d'Enfants)* satt den Israelfödde skådespelaren och regissören Yvan Attal, som har tre barn tillsammans med filmens stjärna Charlotte Gainsbourg - dotter till den franske kulturikonen Serge, och bekant till Depp via den bohemiska jet seten. Attal undersöker skickligt det ostadiga, moderna äktenskapet genom att fokusera på en handfull sammanlänkade par, där det mest framträdande bland dem heter Gabrielle och Vincent (Gainsbourg och Attal själv). Depp - vars rollgestalt på affischen anges som "L'Inconnu" (den okände) - står inte i centrum här.

Faktum är att han snarare används som symbol. Första gången han dyker upp i filmen är efter nästan arton minuter, då han ställer sig bredvid den tungsinta Gabrielle vid en provlyssningsstation i den enorma Virgin Megastore-butiken vid Champs-Élysées i Paris. Det som följer är ett mindre mästerverk i obekväm stämning där Gainsbourg blir alltmer trånande för varje gång hon sneglar på den stilige unge yuppien som står där bredvid, till synes ovetande om hennes blickar. Scenen hade fungerat alldeles utmärkt utan ljud, men regissören väljer att dränka den i ljudet av ”Creep”, Radioheads utstuderade självföraktshymn.

L'Inconnu ler glatt tillbaka och går därifrån med en cd i handen. Efter något ögonblicks tvekan rusar Gabrielle desperat genom skarorna av shoppare i jakt på denne drömlike snygging med det flaxande, slingade håret. Hon hittar honom på en annan avdelning där han lite slött går omkring och tittar, men hon är för nervös för att öppna munnen. L'Inconnu bryter isen genom att le vänligt och hålla upp sitt cd-köp. Hon svarar genom att tafatt visa honom samma sak. Gabrielle tar sen sitt musikaliska inköp till ett allt annat än idylliskt hem, där hennes man spelar henne ett grymt spratt då hon badar deras lille son.

Gabrielle tillbringar sina dagar i ett uppgivet tillstånd, jonglerandes oändliga samtal på en mäklarbyrå. Mot slutet av filmen ser vi henne ordna ännu en lägenhetsvisning för ännu en klient. När hon står och väntar utanför byggnaden hörs Velvet Undergrounds nerviga klassiker ”I'm waiting for the man” spela i bakgrunden. ”The man” visar sig, naturligtvis vara Johnny Depp, med vilken Gabrielle kallpratar lite – först på franska, sen engelska. Han frågar om de kanske har träffats tidigare, men det förnekar Gabrielle. De går in i byggnaden och in i en pytteliten, gammaldags hiss för att göra en uppstigning så utdragen att byggnaden förmodligen är lika hög som Eiffeltornet. När moln plötsligt börjar omsluta paret verkar det som att vi träder in i Gabrielles svävande fantasier. Tack och lov motstår Yvan Attal frestelsen att vräka på med Aerosmiths yxiga ”Love in an elevator” då paret vänder sig mot varandra; de kysser varandra till ljudet av smäktande, 50-talsdoftande muzak. Bilden tonar ut och blir svart.

JOHNNY DEPP KATE WINSLET

BEST PICTURE OF THE YEAR

NATIONAL BOARD OF REVIEW

Finding Neverland

2004

”Jag tycker att tanken på att förbli barn för evigt är vacker, och jag tror att det är möjligt.”

På inspelningsplats med regissören Marc Forster, Kate Winslet och Freddie Highmore.

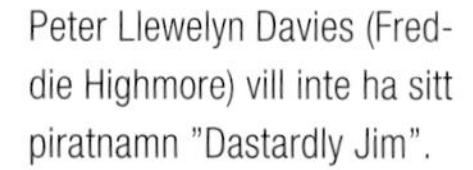

Peter Llewelyn Davies (Freddie Highmore) vill inte ha sitt piratnamn "Dastardly Jim".

”Det är fint att jobba i London igen. Bor man i Paris är London det närmaste stället att jobba på utan all Hollywoodskit.”

När Miramax Pictures tillkännagav sina planer att göra *Finding Neverland*, en filmbearbetning av Allan Knees framgångsrika teaterpjäs *The Man Who Was Peter Pan*, ansåg många att projektet var ämnat att kamma hem en hel hög med Oscarsnomineringar. Regissören Marc Forsters senaste strövtåg, *Monsters ball*, var en indieproduktion som bärgade hem en Oscar och en nominering 2002. Kate Winslet, *Finding Neverlands* kvinnliga huvudrollsinnehavare, var en etablerad branschfavorit som hade nominerats fyra gånger innan hon fyllt trettio. Och så var det förstås Johnny Depp, som skulle spela rollen som den skotske författaren J.M. Barrie, skapare av den klassiska succépjäsen *Peter Pan*.

Finding Neverland såg ut att bli exakt den typen av drama förlagt till den brittiska förnäma epoken för vilken Akademien har en ökänt öm punkt – och dessutom hade man det förskräckliga PR-maskineri som Miramax (då ägt av Disney) årligen släppte lös på den stora allmänheten, och mer specifikt på Oscarsjuryn när prisutdelningen började närma sig. Med tanke på denna imponerande samling element som alla omfamnades av *Finding Neverland* betraktades inte den här filmen som en av Miramax svåraste Oscarsutmaningar.

Filmen skildrar den slumpmässiga tillblivelsen och skapandet av *Peter Pan*, mest känd i det samtida Hollywood som en av de pengaalstrande, klassiska tecknade filmer som Disney regelbundet släpper i begränsade dvd-utgåvor. Branschen hade också börjat erkänna Johnny Depp som en enastående publikmagnet, tack vare den fenomenala globala succén med *Pirates of the Caribbean: Svarta pärlans förbannelse*. Efter att i nämnda film ha spelat rollen som definierar dess själva franchise, kapten Jack Sparrow, tog Depp det utomordentligt kloka beslutet att det nu var tid att lägga sin piratdräkt och sitt besynnerliga beteende åt sidan till förmån för en stickig tweedkostym och sprittande skotsk accent.

Så vad skulle möjligtvis kunna gå fel? Låt oss börja med Da-

vid Magees manusbearbetning av Allan Knees teaterpjäs, vilken på något vis lyckades tynga ner de två första tredjedelarna av filmen med ett ganska klumpigt tempo. Det är inte ovanligt med filmer som börjar lovande för att sen förlora riktningen efter en timme eller så, så det är ganska överraskande med en film som gör det motsatta: *Finding Neverland* börjar med ett gny och slutar – känslomässigt – med en smäll. Även om Magee ändamålsenligt gör sig av med flera av teaterpjäsens betydelsefulla beståndsdelar och rollgestalter lyckas han inte etablera återstående rollgestalter snabbt eller starkt nog, inte heller klargör han relationerna mellan dem tillräckligt övertygande.

Depps J.M. Barrie är en pjäsförfattare vars senaste West End-pjäs, *Little Mary*, blev ett hopplöst fiasko och han pressas därför hårt av sin agent (spelad av Dustin Hoffman, i en glänsande biroll) att skriva en riktig succé. Skotten har länge varit fången i ett kärlekslöst äktenskap och ägnar därför hemmet och familjen så lite uppmärksamhet som möjligt, inte heller hans självförtroende som författare blir hjälpt av situationen. En dag när han rastar sin hund i en Londonpark råkar Barrie stöta på den attraktiva änkan Sylvia Llewelyn Davies (den alltid lika makalösa Winslet) och hennes fyra små pojkar. Pjäsförfattaren underhåller gossarna genom att spela upp alla möjliga fantastiska berättelser, och nästlar sig med hjälp av sin charm in i bröstet och hjärtat på familjen – men det är aldrig fråga om att Barrie har några sådana avsikter för Winslets rollgestalts skapliga bröst. Och det är lika bra det, eftersom vi snart får veta att mrs Davies lider av tuberkulos och antagligen inte kommer att vara kvar när filmens eftertexter börjar rulla.

Om du någonsin funderat på varför vissa skådespelare vill undvika att läsa recensioner av sina filmer, kan fenomenet kanske delvis illustreras med en särskild recension av *Finding Neverland*. När filmen recenserades av en brittisk morgontidning tog skribenten upp Depps skotska uttal, och anmärkte surt att det fick en att tänka på en arbetarklassens Glasgowbo snarare än en

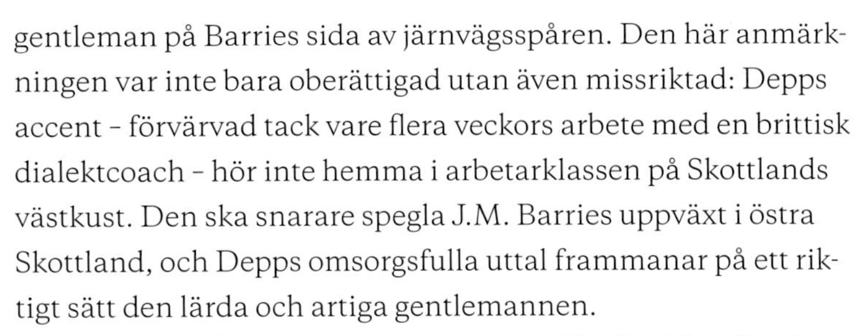

Ovan: Te och sympati för den krassliga Sylvia Llewelyn Davies (Kate Winslet).

Höger: Verklighet övergår i fantasi när Barrie och familjen Llewelyn Davies spelar upp *Peter Pan.*

gentleman på Barries sida av järnvägsspåren. Den här anmärkningen var inte bara oberättigad utan även missriktad: Depps accent - förvärvad tack vare flera veckors arbete med en brittisk dialektcoach - hör inte hemma i arbetarklassen på Skottlands västkust. Den ska snarare spegla J.M. Barries uppväxt i östra Skottland, och Depps omsorgsfulla uttal frammanar på ett riktigt sätt den lärda och artiga gentlemannen.

På det stora hela var recensionerna av *Finding Neverland* ljumna, och många kritiker klagade över att det var ett drama som vaknade till liv först när det var för sent. Det fanns gott om kritiker som räknade upp ett antal biografiska fakta som Magee hade strukit från den ursprungliga teaterpjäsen, men sådan kritik är svår att ta på allt för stort allvar, eftersom greppet använts i de flesta biografifilmer som någonsin gjorts. (Och jodå, J.M. Barrie bar minsann en mustasch, förutom det faktum att han var betydligt mindre stilig och nästan två decimeter kortare än Johnny Depp.) Ytterligare en kritikergrupp drog sig till minnes en miniserie, *Peter Pans hemlighet (The Lost Boys)*, i tre delar som BBC sände 1978. Det var knappast överraskande att de utropade detta nyanserade drama på fyra och en halv timme som överlägset Marc Fosters film, vilken gick i mål på blygsamma 106 minuter.

Johnny Depp är något av en uppenbarelse i *Finding Neverland* och han ger ifrån sig en av de mest finkalibrerade prestationerna i sin karriär. I New Yorker menade Anthony Lane att han hade funnit skådespelaren "förtjusande främmande för falskhet", ett utlåtande som faktiskt skulle kunna appliceras på det mesta av Depps samlade filmvärv. I *Finding Neverland* interagerar J.M. Barrie obesvärat med, och blir fascinerad av, syskonen Davies, vilka han tilltalar mer eller mindre som jämställda. Pojkarna svarar an på Barries bemötande, med son nummer tre i ordningen, Peter (spelad av den rare Freddie Highmore) som anmärkningsvärt undantag - han bibehåller ett vaksamt avstånd till den besynnerliga och inkräktande vuxne.

Allteftersom Barries band till familjen Davies blir starkare, framkallar det också slutet på hans stagnerade äktenskap och lockar dessutom ogillande kommentarer från mrs Davies mor

(sardoniskt gestaltad av den vördade Julie Christie). Inget av det här håller Barrie vaken om nätterna eftersom han ser hur hans nya umgänge smälter samman med temat i hans nya pjäs om Peter Pan, en pojkaktig figur som vägrar att växa upp.

Peter Pan har också sina rötter i de mörkare, mer avlägsna skrymslena av Barries psyke: när han var bara sex år gammal dog hans trettonåriga storebror David i en skridskoolycka. Deras mor förblev otröstlig och den yngre sonen lade flera år på att utan framgång försöka att åter tända livsgnistan i hennes ögon. Flera år senare har Barrie fortfarande inte tagit itu med det känslomässiga trauma Davids död innebar, men genom att skapa den evigt unga Peter Pan ger han sig själv möjligheten att konfrontera, om så indirekt, sina obearbetade känslor inför förlusten av sin älskade bror.

När *Peter Pan* äntligen har tagit form är det uppenbart att Kate Winslets rollgestalt är alltför sjuk för att kunna närvara vid pjäsens premiär – alltså ordnar Barrie en sammandragen föreställning i Davies hus. Vid det här laget har filmen hunnit bli lika ohejdbar som publikens behov av att sträcka sig efter närmaste näsduk.

Trots tvivlen hos Barries agent har *Peter Pan* premiär sent i december 1904. Det finns ett gammalt talesätt som säger att ”inget är lika imponerande som en ambitiös skotte”, och pjäsförfattaren avslöjar sin pragmatiska sida genom att sätta en grupp på ett tjugotal föräldralösa barn mitt i premiärpubliken. Jodå, det är dags för näsduken igen. *Peter Pan* är en jublande succé och resten är, som man säger, svarta siffror i Disneys bokföring.

Finding Neverland nominerades i sju Oscarskategorier, inklusive en för Depp, men det skulle visa sig att bara kompositören Jan Kaczmarek fick gå därifrån med en gyllene statyett. För Depp räckte det med att filmen som hade 25 miljoner dollar i budget sen tjänade in över 115 miljoner världen över. Hans nya ställning som global superstjärna hade förstärkts av den ovanliga erfarenheten att lyckas med två succéfilmer i rad. Men, den som trodde att Hollywoods mest idealistiske kändis planerade för en tredje braksuccé hade nog mått bra av rådet att dra ner på älvstoftet.

”Filmen utvecklar sig aldrig riktigt som man förväntar sig. Den blir aldrig en sentimental kärleks-historia om två människor som är ämnade för varandra eller något i den stilen.”

Motstående sida: Johnny Depp som den skotske pjäsförfattaren J.M. Barrie i *Finding Neverland.*

Vänster: Miramax publicitetsmaskineri arbetar i högsta hastighet för *Finding Neverland.* Omslag till Life, november 2004.

Ovan: Vid Screen Actors Guild Awards, februari 2005, tillsammans med motspelaren Freddie Highmore och partnern Vanessa Paradis.

The Libertine

2004

”Jag kände mig förpliktigad att gestalta honom rätt – så mycket att jag blev besatt. Jag läste allt. Jag visste allt om honom.”

Johnny Depp

The Libertine

”Jag har alltid haft en känsla av att han var den här stora, stora poeten som aldrig blev erkänd som en stor poet, utan sågs som en satiriker eller bara en löjlig figur som hängde i Karl II:s hov. Jag tror aldrig att han fick vad han förtjänade. Han var en avfälling, en briljant poet som var otroligt modig.”

Kontrasterande scener tillsammans med Rosamund Pike som Elizabeth Malet.

På papperet ser *The Libertine* ut att vara som klippt och skuren för Johnny Depp, som en fulländad förening av en rad olika händelser. Filmen är en bearbetning av en framgångsrik teaterpjäs skriven av Stephen Jeffreys, som hade urpremiär i London sent år 1994 och USA-premiär på Chicagos Steppenwolf Theater bara ett drygt år senare. Under denna inledande Chicagosäsong spelades *The Libertines* centralgestalt, John Wilmot earl av Rochester, av John Malkovich, som i sin tur fick Johnny Depp att se pjäsen i hopp om att han skulle gå med på att spela i filmversionen.

Åtta år senare, när Malkovichs planer att filma *The Libertine* äntligen skulle förverkligas, tog Depp ivrigt chansen att medverka. Kassatriumfen från 2003, *Pirates of the Caribbean: Svarta pärlans förbannelse*, och vetskapen om att han skulle komma att medverka i lukrativa uppföljare, hade gett Depp en oöverträffad nivå av ekonomiskt oberoende, och Rochester var precis en sådan roll som han ville spela. Greven var en okänd adelsman som levde hårt och dog ung, år 1680. Han var en av Englands mest ökända hedonister och skrev lyrik som uppskattades i bättre kretsar trots att den enligt den tidens normer var skandalöst oanständig. (De flesta av Rochesters dikter förblev outgivna under hans levnadstid; när de väl såg dagens ljus vann deras upphovsman gillande hos litterära giganter som Johann Wolfgang von Goethe, som citerade honom, och Voltaire, som kallade honom ”geni”.)

Rochesters liv var, med Samuel Johnsons ord, ”ett liv levt i demonstrativt förakt för ordentlighet” innan han ”brände hela sin ungdom och hälsa genom överdådig vällust”. 2005 berättade Depp för Londontidningen Evening Standard att han kunde identifiera sig med Rochester när han läste om denna rumlare av världsklass. ”Jag kände igen något som jag hade varit med om”, sa Depp. ”Jag slutade dricka alkohol eftersom jag inte slutade. Jag fortsatte bara tills en svart ridå sänktes ner och jag inte längre såg någonting och inte längre visste om jag fanns kvar.”

The Libertines överföring till vita duken skulle visa John

Malkovich i den mindre betydelsefulla rollen som Karl II och överlåta scenen åt Johnny Depp i rollen som den trettioåriga John Wilmot. Manusarbetet skulle skötas av pjäsens ursprungliga författare Stephen Jeffreys. Inspelningen av *The Libertine* inleddes tidigt 2004 i England och Wales, bara för att abrupt kapsejsa när den brittiska regeringen täppte igen skattekryphålet som hade gjort hela produktionen ekonomiskt möjlig. I sin egenskap av producent strukturerade Malkovich snabbt om produktionsplanen för att väva in det inte lika skattemässigt tvingande Isle of Man som ny inspelningsplats. Avbrottet kunde Johnny Depp använda till att sjunka ner i den gömma av Rochesterforskning som British Museum i London härbärgerade. Det här tjänade bara till att ytterligare förstärka hans identifikation med rollen.

Filmen utspelar sig under några få av Rochester sista år i livet och kulminerar i hans död, orsakad av syfilis vid en ålder av 33 år. Under den här tiden upptog Rochester en inte helt självklar plats i Karl II:s hov. Berättelsen börjar med att kungen kallar sin utsvävande undersåte tillbaka till London strax efter att ha förvisat honom under ett år på grund av hans opassande uppförande. Vid sin återkomst till huvudstaden råkar Rochester på en uppåtsträvande skådespelerska vid namn Elizabeth Barry (Samantha Morton) som han i en handvändning vägleder till storhet med en metod inte helt olik *the method* som Lee Strasberg gick i bräschen för i mitten av 1950-talet. När hon vägrar köttsligt umgänge blir hans reaktion att åter sluta sig till sina kamrater i deras ständiga supande och horande.

När den sluge kung Karl ger Rochester i uppdrag att skriva en pjäs inför den franske ambassadörens besök – som kungen vill imponera på av ekonomiska skäl – får han ett smörgåsbord av grällt snusk i hyllning till dildon. Rochester spelar personligen upp detta pornografiska verk när Karl tar sig upp på scen för att hindra dess fortsättning. Den förtappade pjäsförfattaren flyr till sitt lantställe, där en allvarlig släng av syfilis först vanställer honom innan tillståndet till slut tar kål på honom.

"Jag kände igen något som jag hade varit med om. Jag slutade dricka alkohol eftersom jag inte slutade. Jag fortsatte bara tills en svart ridå sänktes ner och jag inte längre såg någonting och inte längre visste om jag fanns kvar."

Motstående sida: Under en intervju vid Los Angeles-premiären för *The Libertine*, november 2005. Filmen visades för första gången vid Torontos filmfestival ett år tidigare men fick ingen allmän USA-distribution förrän mars 2006.

Den hedonistiske earlen av Rochester, en roll som först spelades på teaterscenen vid mitten av nittiotalet av John Malkovich.

Av flera anledningar, både påtagliga och vaga, kommer *The Libertine* inte ens i närheten av att leva upp till de rika löften den hade kommit med innan kameran började rulla. Ett av verkets mer uppenbara problem är att även om den flott utstyrda Rochester oavbrutet skryter om sin potens känner sig aldrig regissören Laurence Dunmore (en musikvideoveteran som inte har gjort någon mer film efter *The Libertine*) förpliktigad att bekräfta sin protagonists ord i handling. Det finns nästan inte ett enda ögonblick i filmen man skulle kunna kalla "erotiskt", eller för den skull mjukporrigt, och Rochesters antydningar om en bisexuell läggning förblir outredda.

Dessutom – trots alla sina finkulturella meriter och kompakta långrandighet – erbjuder *The Libertine* synnerligen lite vad gäller minnesvärd dialog. Hur konstigt det än kan låta så innehåller den första *Pirates of the Caribbean* fler märgrika benpipor av den gamla engelskan än Jeffreys högaktade drama.

Bland skådespelarna i detta misslyckade projekt är det bara Samantha Morton som träder fram på ett någorlunda berömvärt sätt. John Malkovich är lika sevärd som alltid, men rollen som Karl II ger inte utrymme för hans sardoniska grin och allmänt korrupta utstrålning, vilka hade gett honom så fina recensioner när han spelade Rochester i Chicago åtta år tidigare. Vilket betyder att en del av skulden måste hamna hos den välskodda Johnny Depp: även om han definitivt haft sina egna stunder av överkonsumtion så var hans önskan om att kanalisera dem i Rochesterrollen i slutändan omdömeslös. Det var paradoxalt nog till Depps fördel att den försenade premiären av *The Libertine* blev en så nedtystad, vacklande affär (den visades första gången på Toronto Film Festival i september 2004, men fick inget allmänt premiärdatum i USA förrän i mars 2006). Filmens i stort sett negativa recensioner drunknade i all den uppmärksamhet som gavs till Depps mer framgångsrika filmer som kom vid samma tid, *Kalle och chokladfabriken*, *The corpse bride* och den familjevänliga *Finding Neverland*.

Kalle och chokladfabriken

2005

”Att bli utvald för att spela Willy Wonka är i sig själv en stor ära, men att bli utvald av Tim Burton dubblar, tripplar äran.”

Tim Burtons *Apornas planet (Planet of the Apes)* från 2001 blev en fenomenal kommersiell succé, vilket må ha tystat en del av filmens många kritiker, men originalversionen från 1968 hade tillräckligt många följare för att regissörens tillvaro skulle bli osäker. Eller som Burton senare sa om sin *Apornas planet*-upplevelse: ”Jag visste att jag var på väg in i ett bakhåll.”

Och ändå hittar vi fyra år senare Tim Burton i full färd med en ny version av ännu en älskad film från samma popkulturella epok som *Apornas planet*. Det var nästan som att skaparen bakom *Edward Scissorhands* och *Sleepy Hollow* hade drabbats av en akut tvångstanke om att omarbeta filmer som varit danande under hans barndom. Som tur var för Burton så ställde barnfilmen *Willy Wonka och chokladfabriken (Willy Wonka and the Chocolate Factory)* från 1971 inte alls lika höga krav som Apornas planet, så att återvända till den – med titeln från originalet, Roald Dahls bok *Kalle och chokladfabriken (Charlie and the Chocolate Factory)* – borde inte ha inneburit alltför många problem.

Burton hade lyckats ta sig över det största hindret, nämligen den avlidne Roald Dahls anhöriga (författaren dog 1990). Det sades att Dahl hade avskytt *Willy Wonka*-filmen från 1971: Dahl hade själv skrivit manuset, men regissören Mel Stuart hade beställt kompletterande material utan författarens medgivande, och misslyckades i det stora hela med att överföra originalberättelsens misantropiska tonläge till filmen. Under årtiondena som följde gick flera rykten om olika stora regissörer och stjärnor som ville göra ett nytt försök med *Willy Wonka*, men grundmaterialet gjordes oåtkomligt för dem.

1991 närmade sig Tim Burton, uppbackad av Warner Bros. Pictures, familjen Dahl med idén om att göra en ny version av *Kalle och chokladfabriken*, men inte förrän 1998 nådde familjen en överenskommelse med Warner. Och det var inte förrän 2003 som Burton åter riktade sin uppmärksamhet mot Dahl-projektet, vilket delvis skulle finansieras av Plan B Productions, ett bolag som bildats av Brad Pitt och Jennifer Aniston under deras kortli-

”Först så var det svårast för mig att försöka sudda ut alla minnen jag hade av filmen med Gene Wilder från 1971. Och så fattar man, ’Fan, jag kan inte sudda ut dem, så jag måste helt enkelt göra en väldigt skarp vänstersväng.’”

Den glupske Augustus Gloop (Philip Wiegratz) får vad han förtjänar i Willy Wonkas chokladsjö.

vade äktenskap. När Burton frågade Johnny Depp om han kunde tänka sig att spela huvudrollen Willy Wonka, svarade Depp omedelbart och positivt.

Att Tim Burton och Johnny Depp skulle göra *Kalle och chokladfabriken* tilltalade inte alla: den mest framträdande avfällingen var Gene Wilder, stjärnan i den första filmen, som gjorde ett offentligt uttalande när produktionen inleddes. ”Det handlar bara om pengar”, hävdade den 71-årige Wilder. ”Varför skulle man annars göra om *Willy Wonka*?” Depp skulle senare erkänna att eftersom Wilders rolltolkning hade varit ”fulländad och [hade] etsat sig fast i allas hjärnor” hade det varit minst sagt utmanande för honom att skapa en ny Willy Wonka.

Även om Gene Wilder senare uttalade sitt stöd för Burtons och Depps satsning, tvekade regissören inte inför att understryka att han aldrig hade tänkt ”göra om” *Willy Wonka*. Hans huvudmål var att skapa en film som speglade Roald Dahls originalvision, något som helt uppenbart aldrig bekymrat kreatörerna bakom filmen från 1971. ”Jag vill inte krossa människors originaldrömmar”, sa Burton om sin *Chokladfabrik* à la 2000-tal. ”Men den första filmen är fånig. Den är fånig när den inte ska vara fånig, och den är konstig.”

De flesta håller nog med om att Roald Dahls *Kalle och chokladfabriken* är bland de konstigaste böcker som någonsin utnämnts till ”barnboksklassiker”. Dahls berättelse skildrar en tävling i vilken en handfull gyllene biljetter göms i chokladkakor tillverkade av Willy Wonka, kuf och konfektmogul. De barn som hittar nämnda föremål får följa med på en tur genom Wonkas fabriksanläggning, ett mörkt, djävulskt byggnadsverk med en interiör som hade kunnat beskrivas som ”psykedelisk” om originalboken bara hade publicerats efter 1964.

Dahls berättelse blir allegorisk när fyra av Willy Wonkas unga gäster försvinner, en efter en. Den enda som är kvar är Charlie Bucket (spelad av Depps motspelare från *Finding Neverland*, Freddie Highmore) som också är den enda i gruppen som varken

”Jag försökte tolka det som Roald Dahl hade skapat i sin bok – den skruvade, sjuka sidan av rollgestalten. Jag såg framför mig barnprogramsvärdarna från när jag var liten.”

är bortskämd eller dåligt uppfostrad. I en intervju från 2005 med den franska filmhistorikern Antoine de Baecque, lät Burton – som två år tidigare hade fått en son tillsammans med den engelska skådespelerskan Helena Bonham Carter – ovanligt allvarlig när han förklarade varför han såg den nya *Chokladfabriken*-filmen som en slags sedelärande berättelse.

”Jag tycker inte om vad vårt samhälle gör med barn”, fastslog Burton. ”Vi utsätter dem konstant för vassa armbågar och tävlande. Det är både att avsäga sig ansvar och en form av cynism, ett sätt att skämma bort dem och njuta av ett lugnt liv.” För att verkligen få fram sitt budskap visar Burtons film upp hur familjen Bucket bor i en veritabel parodi på dickensk fattigdom. (Helena Bonham Carter, vilken Burton har gett roller i alla sina filmer från *Apornas planet* och framåt, porträtterade Kalles mamma.)

Precis som *Willy Wonka*-regissören Mel Stuart verkade Tim Burton tycka att originalberättelsen *Chokladfabriken* inte gav tillräcklig tyngd åt handlingen, eftersom även han beställde nytt material till sin film. I Burtons film är tilläggsscenerna skapade för att förklara hur den extraordinära herr Wonka blev den han är. Burton avgjorde att den brittiske skräckfilmsveteranen Christopher Lee (ännu en skådespelare som hade haft roller i flera andra Burton-filmer) passade perfekt i rollen som Wonkas tyranniska tandläkarpappa som förbjuder sin son att äta godis, och till slut får honom att rymma hemifrån.

I intervjun med Antoine de Baecque från 2005 avslöjade Burton, med ovanlig öppenhet, inspirationen bakom det nya materialet. ”Jag måste erkänna att den unge Willy Wonka är jag”, sa Burton. ”Mina tänder var jättestora och jag hade en tandställning som jag hatade ... Den här killen är ett förkroppsligande av vad som hände mig när jag var en liten pojke.”

Johnny Depp har inte sin första hela scen som Willy Wonka förrän filmen pågått en halvtimme, och då börjar vi få en klar uppfattning om hur han har tagit sig an Wonkautmaningen. Det enda som Depps Wonka har gemensamt med Gene Wilders

Motstående sida: Johnny Depp och Tim Burton delar idéer om Willy Wonka.

Höger: Willy Wonka visar upp Wonkavision för Mike Teavee (Jordan Fry), hans pappa (Adam Godley), Charlie Bucket (Freddie Highmore) och Charlies farfar Joe (David Kelly). För den tv-besatta Mike Teavee blir frestelsen att ta sig till andra sidan skärmen för stor.

version är cylinderhatten: Wilder spelade rollen på gränsen till komisk hysteri, hans vana trogen, medan Depp är iskall och skänker Wonka en artificiell glans. Både Depp och Burton har angett den avskärmade miljonären Howard Hughes som en psykologisk referens i deras tolkning av Willy Wonka, en ständigt behandskad bacillfobiker med alltför stora men perfekta tänder och krönt av en otidsenlig prins Valiant-lugg.

Depp och Burton gav den nya Willy Wonka ett kännetecken som många i publiken lika gärna kan ha missat vid en första anblick: delvis inspirerade av absurda barnprogramsvärdar från deras respektive barndom bestämde de två männen sig för att visa hur Wonka återkommande tjuvkikar på sina ”repliker” på ”fusklappar”. Även om Tim Burton undviker dataanimationer i sitt fjärde samarbete med Johnny Depp på femton år, är *Kalle och chokladfabriken* en krispig, bjärt upplyst och på sätt och vis avmystifierad historia. Även om dess budget på 150 miljoner dollar är väl synbar i Burtons räcka av påhittiga *tableaux vivants* – som till exempel en ”flod” bestående av ungefär 800 000 liter flytande choklad, med tillhörande ”vattenfall” – lyckas filmen aldrig trollbinda så som dess lågteknologiska, suddiga föregångare gjorde. Dessutom, för att vara en förmodad komedi ... är det faktiskt ont om självklara skratt. I slutändan är skillnaden mellan Burtons film och *Willy Wonka*, mellan Depps gestaltning och Gene Wilders, lika markant som avgrunden mellan analog och digital.

Times Richard Schickel formulerade kärnfullt en utbredd invändning mot Burton och Depps senaste strapats. ”Det finns en distans, en likgiltighet, i den här filmen”, skrev Schickel. ”Den saknar glöd.” Inte ens filmens supportrar verkade helt övertygade om dess förtjänster. Men ändå, som i fallet med *Apornas planet*, hade Burton skapat en film kring vilken folk flockades i massor, trots i stort sett blandade–dåliga recensioner. *Kalle och chokladfabriken* tjänade in totala 475 miljoner dollar världen över, även om – precis som Burtons *Apornas planet* – varken bildspråket eller rollprestationerna i filmen dröjde kvar i massornas medvetande.

Pirates of the Caribbean

Död mans kista

2006

Vid världens ände

2007

”Jag längtar efter kapten Jack. Jag ser fram emot att träffa honom igen.”

”Det är nästan kriminellt att få ha så kul.”

Vänster: Filmmogulen Jerry Bruckheimer (i mitten) fattar skämtet, tillsammans med regissören Gore Verbinski och Johnny Depp.

Nedan: Den andra *Pirates*-filmen hade premiär i mer än femtio länder. Här syns affischen för den ryska distributionen.

Motstående: Kapten Jack överlåter det hårda arbetet till Ragetti (Mackenzie Crook), Pintel (Lee Arenberg), Will Turner (Orlando Bloom, här skymd) och Norrington (Jack Davenport) innan han drar sig tillbaka till bekvämligheten i sin trailer.

Efter den fullkomligt kioskvältande framgång som den första *Pirates of the Caribbean*-filmen rönt beslutade Walt Disney Pictures sig för att följa det exempel som Warner Bros. satt efter att deras första *Matrix*-film plötsligt blev en oväntad och pengaalstrande succé 1999, och beställde två uppföljare som skulle filmas samtidigt. En sådan strategi verkar nog vettig för bolagens ekonomiavdelningar, men den andra och tredje delen av *Pirates*-serien visar hur stor påfrestningen kan bli för den kreativa förmågan bakom en global film-franchise.

För både *Död mans kista (Dead Man's Chest)* och *Vid världens ände (At World's End)* höll Disney fast vid regissören Gore Verbinski och manusförfattarna Ted Elliott och Terry Rossio. På papperet verkade dessa tre män knappast vara ett team som med en film baserad på en åkattraktion skulle få till en av de största kassasuccéerna genom tiderna.

Verbinskis senaste jobb, innan *Pirates*, hade varit den amerikanska nyinspelningen av en japansk skräckrulle, *The ring* från 2010. Och även om Elliott och Rossio hade visat sin kapacitet med *Aladdin* (1992) och *Shrek* (2001) så kunde inte ens Disney ha förväntat sig att duon skulle uppfinna något så lukrativt som

Konsumtionskultur: På flykt undan en kannibalstam som har för avsikt att visa sin dyrkan av kapten Jack genom att äta upp honom.

kapten Jack Sparrow, den figur som oomtvistat gjorde filmen livskraftig som franchise. Och Depp var inte bara en högst osannolik frontperson för hela eskapaden, Disneys direktörer hade dessutom grymtat mycket missnöjt när de fick en första glimt av hans rockstjärnepirat under inspelningarna av *Svarta pärlan*.

Ändå stod de alla där i april 2005. Man återupptog *Pirates*-företaget i större skala efter att ha tjänat in mer än fyra gånger första filmens budget på 140 miljoner dollar. Större filmbolag har en tendens att inte offentliggöra exakt hur mycket de spenderar på enskilda filmer, plus den ytterligare komplikationen att *Död mans kista* parfilmades med *Vid världens ände*, men det är en allmän uppfattning att när hela operationen dundrade igång hade Disney satt kostnadstaket för *Död mans kista* någonstans i närheten av 220 miljoner dollar. I den kontexten framstod Depps påstådda lön på 20 miljoner per film för de första tre *Pirates*-filmerna som en ganska bra affär för hans chefer.

Redan från början är det tydligt att skaparna bakom *Pirates of the Caribbean: Död mans kista* gör ett herkulesarbete med att försöka toppa den första filmen – och däri ligger problemet. *Svarta pärlans förbannelse* var en lycklig slump, ett sorglöst popkulturellt fenomen som hade Johnny Depps egensinniga tolkning av kapten Jack Sparrow att tacka för mycket av sin framgång. Publiken som strömmade i sådana massor för att se filmen hade gjort det på grund av Depps till synes obesvärade sätt att ge liv åt kaptenen. Med andra ord, människor gick inte till biograferna för att se folk i arbete.

I *Död mans kista* flätade Ted Elliott och Terry Rossi mödosamt ihop en intrig bestående av maritima legender som "Davy Jones' Locker", Den flygande holländaren och Kraken, parallellt med överdrivna versioner av historiska händelser – som en version av holländska ostindiska kompaniet som förebådar kommande århundradens multinationella bolag. Det mest anmärkningsvärda tillskottet till ensemblen är den vördade engelska karaktärsskådespelaren Bill Nighy, som förstärkt av både lösa delar fästa i ansiktet och datoranimerade effekter spelar ondingen med tentakelansiktet, Davy Jones, till vilken kapten Jack bär

en ”blodsskuld”. Stellan Skarsgård spelar Bootstrap Bill Turner, pappa till Sparrows sidekick Will Turner (Orlando Bloom), som återvänder till serien tillsammans med sin älskade, den morska Elizabeth Swann (Keira Knightley).

Likt ett läroboksexempel i diskbänksfilm använder Gore Verbinski vartenda vapen i sin 220 miljoners-arsenal för att verkligen försäkra sig om att tempot i *Död mans kista* aldrig sackar. I och med det skapar regissören en bombastisk ljud- och ljusshow som bara ökar på förvirringen som filmens labyrintiska intrig redan orsakat. Paradoxalt nog sprakar dialogen i *Död mans kista* mer än någonsin och pärlor av skälmsk visdom trillar hela tiden över kapten Jacks läppar.

Få filmskådespelare får tillfälle att utveckla en rollgestalt genom flera filmer och Johnny Depp försitter inte tillfället utan får Jack Sparrow att växa till en ännu mera fängslande figur. Pressfolk pekar gärna ut Depps erkända skuld till Keith Richards (som var tänkt att medverka i *Död mans kista*, men han missade det) för att ha tjänat som inspiration till hans karaktärisering av Sparrow, men skådespelaren bär faktiskt en större skuld till en annan brittisk stjärna från rockepoken – David Bowie. Även om det finns ett stråk av Richards utsvävande godsägartyp i Depps gestaltning så framträder 1970-talets feminint koketta och bisarra Bowie ännu tydligare då Jack Sparrow trippar från det ena missödet till det andra. I termer av filmarketyper använder Depp Jack Sparrow för att ge ny skepnad åt ”den charmiga men fega odågan”, som tidigare personifierats av Bob Hope och W.C. Fields.

Om inget annat så lockade uppgiften att dekonstruera kapten Jack ofta fram det bästa hos kritikerna: Rolling Stones Peter Travers, till exempel, kallade Depps skapelse för en ”bisexuell narcissist med något djävulskt i blicken som antyder att han aldrig kommer avslöja var han har sin droggömma”. Dessvärre sträckte sig aldrig den här sortens välvilja till filmen i övrigt; det bildades en missnöjd opinion som bekräftades i rubriker som ”Johnny Depp röjer loss men *Pirates of the Caribbean* är bara ett fylleskämt”. Det var orden som prydde Washington Posts recen-

Kapten Jack njuter av huvudjägarnas vördnad, ännu ovetandes om vad de har planerat för honom (överst); är mitt i en trehövdad svärdskamp med Norrington och Turner (nederst); och tar sin besättning till voodooprästinnan Tia Dalmas hydda (motstående).

”När vi först började med Pirates 1 så var det så lätt, som vilken annan roll som helst: man grabbar åt sig lite här och där, och av det får du den här konstiga soppan som du skapat. Och så, boom! Det var första gången jag har fått tillfälle att hitta fler möjligheter. Det är bara så himla kul att komma undan med grejer som man i vanliga fall inte får göra. Han är fullkomligt vanvördig, gestaltad precis så absurd som du vill.”

Höger: Kostymavdelningen tar itu med Barbossa (Geoffrey Rush), Elizabeth Swan (Keira Knightley) och kapten Jack Sparrow.

sion som fastslog att det här ”da capo-numret känns tillkämpat och ihåligt – en upprepning som levereras så självmedvetet att det helt har tappat sin charm”.

Som alltid vilar sådana omdömen i betraktarens öga, och filmens kommersiella prestation visade att en betydande mängd människor charmades av hur Johnny Depp röjde loss. Filmen blev snabbt en av de upphöjda filmer som har tjänat in över en miljard dollar.

Innan *Pirates of the Caribbean: Vid världens ände* spelades in tvingades filmteamet återuppbygga en filmmiljö som förstörts av en orkan under inspelningarna av *Död mans kista*. Något annat som gick förlorat under inspelningarna av den andra

Pirates-filmen var tydligen dess kreatörers förmåga till självbehärskning, för den tredje delen av kapten Jack Sparrows krönika är till och med mer bombastisk än föregångaren.

Ännu en gång gör produktionens förutsättningar det svårt att urskilja exakta siffror, men budgeten för *Vid världens ände* uppskattas ha hamnat på ungefär 300 miljoner dollar, vilket skulle göra den till den dyraste film som någonsin har gjorts. Precis som i fallet med *Död mans kista* är slutprodukten grandios. Och ännu en gång visar det sig att det inte är någon garanti för att filmen blir sevärd.

Kapten Jack Sparrow dyker upp på duken först när filmen har pågått en halvtimme. Och när han väl materialiserar sig så är det i form av sinnesförvridna, multipla, datoranimerade bilder. Varenda biobesökare kan direkt lista ut att det här måste vara en dröm – och när kapten Jack vaknar befinner han sig i ännu en knipa.

Det finns stunder då denna häpnadsväckande 169-minutersfilm tycks kanalisera anden hos ett trippelt konceptalbum av något arenarockband från 1970-talet – vilket är en smula ironiskt med tanke på punkbakgrunden som Johnny Depp och regissör Gore Verbinski delar. Med *Vid världens ände* hade *Pirates*-serien utvecklat sin egen, invecklade interna logik, och med den skapat ett slutet universum som skulle få ditt huvud att snurra om du stannade upp och tänkte efter för länge.

Keith Richards dyker till slut upp, i en cameoroll som Jack Sparrows sen länge försvunna pappa, kapten Teague, men han kommer för sent för att kunna rädda filmen. Geoffrey Rush är

Like a Rolling Stone? Den ofta påtalade skulden som kapten Jack bär till Keith Richards återbördas i *Vid världens ände* i och med en cameoroll för veteranrockaren. Richards spelar Jacks pappa kapten Teague.

Uppslaget: Porträtt av Matt Sayles, Beverly Hills, juni 2006.

pålitligt tokrolig som kapten Jacks återkommande fiende Hector Barbossa, och Keira Knightleys obotligt rekorderliga Elizabeth Swann utgör en lämplig fond för Sparrow och hans improviserade moral. Däremot är Swann och hennes älskade, Will Turner, så dåligt underbyggda att de så här långt in i serien har förvandlats till symboler för ”ödesförföljda älskande”. Som tur är för alla inblandade lyckas författarna att snyggt och prydligt knyta ihop handlingen mot slutet av filmen.

I stiltjen mellan den andra och tredje delen hade Geoffrey Rush skojat om att på sluttampen i *Död mans kista* skulle ”tolv intriger mötas i en massiv, nästan mytologisk actionsekvens”, men skämtet låg inte långt ifrån sanningen. Faktum är att Johnny Depp mer eller mindre erkände något liknande i en Entertainment Weekly-intervju flera år efter att brottet begåtts. ”Den var intrigdriven och komplicerad”, medgav Depp. ”Jag minns hur jag pratade med [Gore Verbinski] några gånger under arbetet med 2 och 3 och att jag sa 'Jag vet inte riktigt vad det här betyder'. Han sa 'Det gör inte jag heller, men nu filmar vi det bara'.”

Innan *Pirates*-fenomenet blev riktigt stort var Depp alltid noga med att uttrycka hur obekväm berömmelsen gjorde honom, och han tog medvetet avstånd från de förväntningar som en filmstjärna ofta förpliktigas att infria. Men några år efter *Svarta pärlans förbannelse* verkade det som att Depp hade förlikat sig med franchise-driven berömmelse genom ett egendomligt och något invecklat resonemang rörande hela processen. Inför premiären av *Död mans kista* sa han till Entertainment Weekly: ”Det är fascinerande att beskåda maskineriet arbeta, se det surra och tjuta och vråla. Att se de här produkterna, som flingförpackningar och fruktkolor och leksaksfigurer och lakan och handdukar och kuddar ... Jag menar, nu är vi på den arena där Marcel Duchamp och Andy Warhol tokdansar nakna. Det är så absurt och surrealistiskt och så vanvördigt att jag älskar det.”

Vid världens ände lockade fram det värsta hos filmkritikerna: inte en enda piratanalogi undvarades då de gick lös på detta överkokta spektakel. En del lade till och med skulden i händerna på den i vanliga fall skottsäkra Depp. Men när filmen släpptes visade det sig vara oemotståndligt lockande att se Johnny Depp skutta omkring med kvicka repliker ständigt på läppen, och till slut hade kassan uppgått till bara strax under den miljard som *Död mans kista* tjänat in. Som man säger i Tinseltown: ”Ingen gillade den utom publiken.”

”Kapten Jack har tillfört min värld en massa bra saker, och mina barns värld. Jag kommer alltid högakta honom. Det har varit ett absolut nöje att spela honom; det har faktiskt varit ett fullkomligt lyckorus.”

”Jag har varit med länge nog för att veta att ena veckan är du på den exklusiva listan med killar som kan öppna en film, och sen nästa vecka så är du borta från listan. Det har varit en kul resa, och jag njuter av det för allt vad det är värt.”

Sweeney Todd

2007

”Jag är ett stort fan av hämnd!”

Den här bearbetningen, som kostade 50 miljoner dollar, av Stephen Sondheims Tony-vinnande musikal manade Tim Burton att röja en smutsig liten hemlighet: när Burton var i London under sin tid som animationselev på Cal Arts hade han snubblat över en uppsättning av *Sweeney Todd* – och blev så fascinerad av den att han såg om föreställningen flera gånger. För att hans anhängare inte skulle få för sig något tillade han: "Jag gillade [filmmusikalen] *Cat Ballou skjuter skarpt* [*Cat Ballou*]. Jag gillade *Guys and Dolls*. Men jag hänger inte på Broadway varje kväll eller sitter hemma och kollar på *Sound of Music*."

Sondheims *Sweeney Todd: The Demon Barber of Fleet Street* hade premiär den 1 mars 1979 på Uris Theater (numera Gershwin Theater) på 51st Street i New Yorks teaterdistrikt, och hämtade hem åtta Tony Awards (inklusive en för bästa sångpartitur) ganska tidigt in i sina totala 557 föreställningar. Musikalen – med libretto skrivet av Hugh Wheeler – byggde på en teaterpjäs från 1973 om en mytisk mördare i London som i sin tur dök upp första gången i Thomas Peckett Prests berättelse *The String of Pearls: A Romance* från 1846, som hade gått som följetong i den skräplitterära veckotidningen The People's Periodical. Denna demoniska figur visade sig vara överraskande livskraftig och reinkarnerades i ett otal scen-, film- och andra mediabearbetningar under 1900-talet.

Att lyckas övertala Stephen Sondheim att låta sin musikal överföras till den vita duken var antagligen en ännu större seger för Burton än hans tidigare förvärv av filmrättigheterna till Roald Dahls *Kalle och chokladfabriken*, eftersom formligen alla regissörer och skådespelare i Hollywoods *Vem är vem?* hade försökt få Sondheim att godkänna en *Sweeney Todd*-film sen föreställningen för första gången hade dykt upp på Broadway.

Även om Burton och Sondheim ser ut att vara de mest osannolika sängkamrater – gothen från San Fernando Valley och den eleganta New York-esteten – diskuterade de en filmbearbetning av *Sweeney Todd* redan på 1990-talet. Sondheim (kompositör och textförfattare till sådana pengaalstrande föreställningar som *Company*, *Follies* och *A Little Night Music*) var missnöjd med tidigare filmer som byggt på hans verk, men anförtrodde tydligen gladeligen sitt verk till regissören bakom *Beetlejuice* och *Mars at-*

Motstående: Tim Burton hade länge hoppats få göra en filmversion av Stephen Sondheims hyllade musikal. Kritikerna blev förtjusta över resultatet, liksom publiken och inte minst Sondheim blev.

Höger: Med getskägget på plats igen anländer Johnny Depp till en visning av *Sweeney Todd*, Paramount Studios, Hollywood, december 2007.

tacks!. Dock hade kompositören stora invändningar när Burton ville ge titelrollen till Johnny Depp, i tron att skådespelarens röst skulle vara alltför ”rock-orienterad” för en Broadwayfödd musikal. Detta satte Burton i den numera ovana situationen att behöva försvara sitt beslut att ge en filmroll till Depp. Som tur var hade Depp, som alltid, varit högst tillmötesgående i sina förberedelser, och inspelningarna av hans musikalaudition rådde bot på Sondheims farhågor.

”Sweeney Todd” är den pseudonym som Londonbarberaren Benjamin Barker antar då han i inledningen av Sondheims musikal just återvänt från sjutton års straffarbete. Barker förvisades av den korrupte domaren Turpin som därefter kidnappade hans fru och dotter, våldtog den förra och drev henne att begå självmord. Som Sweeney Todd ämnar Barker utkräva sin hämnd på Turpin och finner den ultimata medbrottslingen i mrs Nellie Lovett, ägare av en strävande köttpajsbutik i London.

Mrs Lovett förtiger sina varma känslor för Sweeney Todd, till och med då hon åter ger honom hans hantverks blanka verktyg. Han sätter igång och mördar ett imponerande antal medborgare med sin rakkniv, och gör sig av med kropparna med hjälp av en mekaniserad frisörstol som dumpar dessa under golvtiljorna i hans butik. Lovett hjälper Todd på ett sätt som sätter tonen för hela historien – genom att mala liken, använda dem som pajfyllning och sen sälja pajerna till en lysten allmänhet.

I Tim Burtons film *Sweeney Todd* visar Johnny Depp upp ett överraskande och nytt vapen ur sin artistiska arsenal. Även om

Sweeney Todd tydligt ingår i Depps samling av neurotiska särlingar så finns det inget pojkaktigt hos denna mordiska frisör. Depps Todd har böljande svarta lockar som får karaktär av de gråa stråk som löper från hans högra tinning. Ansiktet därunder är ihåligt och plågat och så långt ifrån *21 Jump Street* som det går att komma.

Intrigen i *Sweeney Todd* må vara melodramatisk i överkant, men Depp är den lågmälda behärskningen personifierad i varje stund på vita duken. Liksom Burton (och, i ännu höge grad, Sondheim) insåg skådespelaren till fullo den enorma skillnaden mellan scenframställningens kontra långfilmens krav. Bland Depps många kompetenta motspelare bör särskilt Helena Bonham Carter, som mrs Lovett, omnämnas. Det här var en skådespelerska som redan innan hon inledde en kärleksrelation med Tim Burton visade extrem begåvning, men hon hade allt som oftast tagits för given sen hon börjat medverka i hans filmer – bland mycket annat tjänade *Sweeney Todd* till att påminna världen om Bonham Carters förtjänster.

När detaljerna kring *Sweeney Todd* tillkännagavs antog Variety att Tim Burton skulle vara vad de kallade "oproffsig" i sitt närmande av Sondheims material med Depp och Bonham Carter ombord, och undrade hur detta skulle mottas av inbitna Sondheimiter. Tidskriftens oro var missriktad – regissören var både vördnadsfull och noggrann i sitt utförande, och frambar en grym och högst säregen vision av London under dess storhetstid som industrialismens sotiga hjärta.

Johnny Depp hade aldrig ensam sjungit en hel sång på film innan han medverkade i *Sweeney Todd*, därför är det ett bevis på hans orädda anpassningsförmåga när han så självsäkert kunde inta huvudrollen i en musikal. Depp kanske inte är redo att bli en i raden av kända publikfriare som struttat omkring i Broadwayföreställningar under det senaste årtiondet, men han är en ganska hyfsad tenor och lyckas hantera Sondheims ibland matematiskt komplexa sånger. En del brittiska kritiker lade märke till, till skillnad från deras amerikanska motsvarigheter, en tydlig likhet mellan Depps sångröst och den hos David Bowie under hans tidiga, Anthony Newley-inspirerade fas. Denna till synes uppenbara, musikaliska hyllning underströk desto mer likheterna mellan Bowie och Depps ikoniska rollgestalt från *Pirates of the Carribbean*,

”Jag visste att jag inte är tondöv, men jag var inte säker på att jag kunde bära en sång, för att inte tala om flera, och dessutom så komplexa som Stephen Sondheims. Det var verkligen läskigt för oss båda. Och snacka om ett tillfälle att verkligen floppa.”

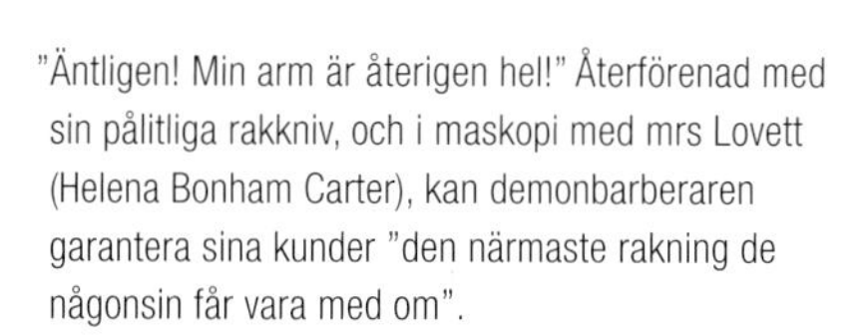

”Äntligen! Min arm är återigen hel!” Återförenad med sin pålitliga rakkniv, och i maskopi med mrs Lovett (Helena Bonham Carter), kan demonbarberaren garantera sina kunder ”den närmaste rakning de någonsin får vara med om”.

Uppslaget: Närvarar vid Storbritanninens premiär för *Sweeney Todd*, London, januari 2008.

kapten Jack Sparrow – men ännu en gång missade kritikerna helt kopplingen och föredrog att i stället betona Sparrows mindre markanta likhet med Keith Richards.

Det bolag Tim Burton samarbetade med i arbetet med *Sweeney Todd* var Warner Bros., och när cheferna såg den första versionen av filmen bad de regissören att avsevärt skära ned på det våldsamma innehållet för att filmen skulle kunna få en mer tillgänglig ”R”-klassificering. Burton gav motvilligt efter, så vi kommer aldrig att få veta vilka bloddrypande höjdpunkter som ursprungligen nåddes av en film som ändå måste vara en av de mest storslagna kasperteaterföreställningarna som någonsin skådats inom mainstreamfilmen.

När Warner lade premiären för *Sweeney Todd* strax innan jul 2007 fanns det de som undrade om det var så klokt att släppa lös ett så blodtörstigt monster mitt i vad som traditionellt betraktats som familjesäsongen. Tajmningen visade sig hursomhelst vara ett briljant, kontraintuitivt marknadsföringsdrag: innan 2008 grydde var *Sweeney Todd* en enorm succé, och filmen fortsatte med att dra in över 150 miljoner dollar internationellt. Depps porträttering av demonbarberaren gav honom en Golden Globe (även Helena Bonham Carter och Tim Burton nominerades) och en Oscarsnominering – men i slutändan var det filmarkitekten Dante Ferretti och scenografen Francesca Lo Schiavo som fick filmens enda pris från akademien, för bästa scenografi.

Den här gången mottogs inte Tim Burtons projekt, som så många andra gånger, med utstuderad ambivalens. Recensionerna var bland de mest positiva han hade fått på åratal och filmen vann till och med över en del av de högst ansedda kritikerna, som alltid hyst reservationer mot Burton, på hans sida. Newsweeks David Ansen menade, till exempel, att regissörens ”styrka har aldrig varit berättande – hans gotiska fantasiförmåga blommar ut episodiskt – men *Sweeney Todd*, hans bästa film sen *Ed Wood*... har den obönhörliga framåtrörelsen hos en haj i blodblandat vatten”.

Tim Burton fick vänta ytterligare några år på den recension som antagligen var den enda som spelade roll för honom personligen. I Stephen Sondheims bok Finishing the Hat, från 2010, deklarerade kompositören att *Sweeney Todd* var det enda av hans verk som hade ”blivit tillfredsställande som filmisk transponering”.

”Jag har aldrig varit särskilt ambitiös eller driven, kan man lugnt säga, även om jag gillar att skapa oavsett om det är lite kladd, en teckning, en mindre målning eller en film eller ett musikstycke, så jag antar att det är det som driver mig.”

SAMUEL HADIDA présente

un film de TERRY GILLIAM

JOHNNY DEPP

est Tony, l'envoûteur.

Découvrez son monde de magie.

L'IMAGINARIUM DU DOCTEUR PARNASSUS

docteurparnassus.com

AU CINÉMA LE 11 NOVEMBRE

The imaginarium of Doctor Parnassus

2009

”Det var en fruktansvärd, fruktansvärd tid. Det var så svårt att fatta … förvirrande. Men det enda som var viktigt var att rädda det som Heath hade åstadkommit.”

Ovan: Heath Ledger, den ursprunglige Tony, här med Doctor Parnassus dotter Valentina (Lily Cole). Ledger dog plötsligt, när man gjort en tredjedel av filmen, och hans roll spelades sen av tre skådespelare, där Johnny Depp ingick.

Föregående sida: Affischen för filmens franska distribution.

Även om Johnny Depps bidrag till den här filmen inte är mycket mer än en biroll så har de särskilda omständigheter under vilka den skapades stor betydelse, i vidare mening, i Johnny Depps personliga biografi.

Doctor Parnassus regisserades av Terry Gilliam (som även var med och skrev manus), denna oförutsägbara auteur som Johnny Depp samarbetat med 1998 i och med *Fear and loathing in Las Vegas*. Man inledde inspelningarna av filmen i december 2007, med Christopher Plummer i rollen som den urgamla kabarédirektören Doctor Parnassus. I rollen som hans nya medhjälpare, en ung skojare endast omtalad som Tony, syntes Heath Ledger. Den 28-årige australiensarens rollprestation i *Brokeback mountain* (2005) hade gett honom en Oscarsnominering och en allmän förväntan om kommande stordåd. Den 22 januari 2008, under ett schemalagt avbrott i produktionen, hade Ledger tillbringat en period ensam i sin lägenhet i New York då han tog en dödlig överdos av en blandning receptbelagda mediciner.

När den första chocken och sorgen väl hade lagt sig förlikade sig Terry Gilliam till en början med tanken att *Doctor Parnassus* aldrig skulle avslutas, liksom hans långfilm *The Man Who Killed Don Quixote* (påbörjad 2000). Men så slog det Gilliam att den aktuella filmens intrig bar en möjlig lösning på vad som till en början såg ut att vara ett olösligt problem.

Doctor Parnassus är den tusen år gamla direktören för en kringresande teatergrupp, och filmens intrig kretsar kring en pågående vadslagning mellan honom och djävulen, personifierad i mr Nick (Tom Waits). Gilliams främsta dramatiska verktyg är den magiska spegel som är huvudattraktionen i Parnassus turnerande föreställning. Ledgers rollgestalt Tony eskorterar personer ur publiken *genom* spegeln och in i olika fantasivärldar som de själva utformar.

Vid tidpunkten för Heath Ledgers död hade Gilliam redan filmat alla scenerna från ”den verkliga världen” där skådespelaren medverkade. Regissören avgjorde att hans film kunde avslutas, och bli trovärdig, om han använde sig av tre olika skådespelare som spelade Tonyrollen under de tre ”genom spegeln”-scenerna. Den första kandidaten regissören kom att tänka på var Johnny Depp, mannen som hade reserverats för en av huvudrollerna i Gilliams olycksförföljda Don Quijote-film.

Depp, som hade varit vän med Ledger, tvekade inte att tacka

Vänster: Klippgalgarna där Tony får möta sitt öde eftersom Parnassus har gett honom till djävulen i utbyte mot sin dotters själ.

Ovan: Imaginarium Tony 1 (Depp) eskorterar en kvinna (Maggie Steed) klädd i Louis Vuitton på en resa in i hennes fantasi.

ja till att bli del av *Doctor Parnassus* ensemble. Gilliam fick samma positiva svar från Jude Law och Colin Farrell – båda kunde räkna sig till den australiensiske skådespelarens bekantskapskrets. De tre ersättningsskådespelarna skulle få beteckningen Imaginariums-Tony 1, respektive 2 och 3. Man planerade att återuppta inspelningarna i Vancouver i slutet av februari 2008, då Johnny Depp befann sig i närheten av Chicago för att göra *Public enemies* tillsammans med Michael Mann.

Situationen gjorde att Depp var tillgänglig för Gilliam endast 27 timmar, inte mer, så regissören visste att skådespelaren bara kunde få en enda tagning varje gång kameran rullade. Det är ett bevis för Depps professionalism att denna press inte lämnar minsta spår någon av de gånger han syns i den färdiga filmen. Efter det att Ledger ledsagat en medelålders kvinna genom Doctor Parnassus magiska spegel tar Depp över i form av en hästsvansprydd gigolotyp i vit kostym – och när "Tony 1" får en snabb glimt av sin reflektion i en vanlig spegel ryggar han tillbaka i misstro, och ger därmed sin komplimenterande insats en lagom självförminskande ton.

De traumatiska omständigheter som omgav skapandet av *The imaginarium of Doctor Parnassus* innebar att den, då den släpptes i USA sent 2009, fick betydligt större uppmärksamhet i media än man någonsin hade förväntat sig av en film som är så genomgående gilliamsk. Doctor Parnassus är en psykedelisk feberdröm till film som på något vis lyckas hålla fast vid sin känslomässiga kärna mitt i regissörens alla vilda tillbakablickar präglade av dunkel surrealism; men den är inte tänkt att locka någon som är obekant med Gilliams tidigare verk. Om något, så verkade Heath Ledgers död få filmens publik att medvetet bedöma den utan sentimentalitet – oavsett så föll domarna över Gilliams senaste verk mest till hans fördel. (I och med Gilliams välkända svaghet för det besynnerliga var det få journalister som förvånades när de hörde honom säga att vissa sidor av den tusenårige Parnassus var självbiografiska.)

Vid 2010 års Oscarsgala fick *The imaginarium of Doctor Parnassus* två nomineringar, för bästa scenografi och för bästa kostym, men den vann inte i någon av kategorierna. Alla tre skådespelarna som kallades in att göra Ledgers rollgestalt i filmen donerade sina arvoden till skådespelarens dotter som inte var född då hans testamente skrevs flera år tidigare.

Public enemies

2009

”John Dillinger var den tidens rockstjärna. Han var en väldigt karismatisk man och levde det liv han ville och kompromissade inte.”

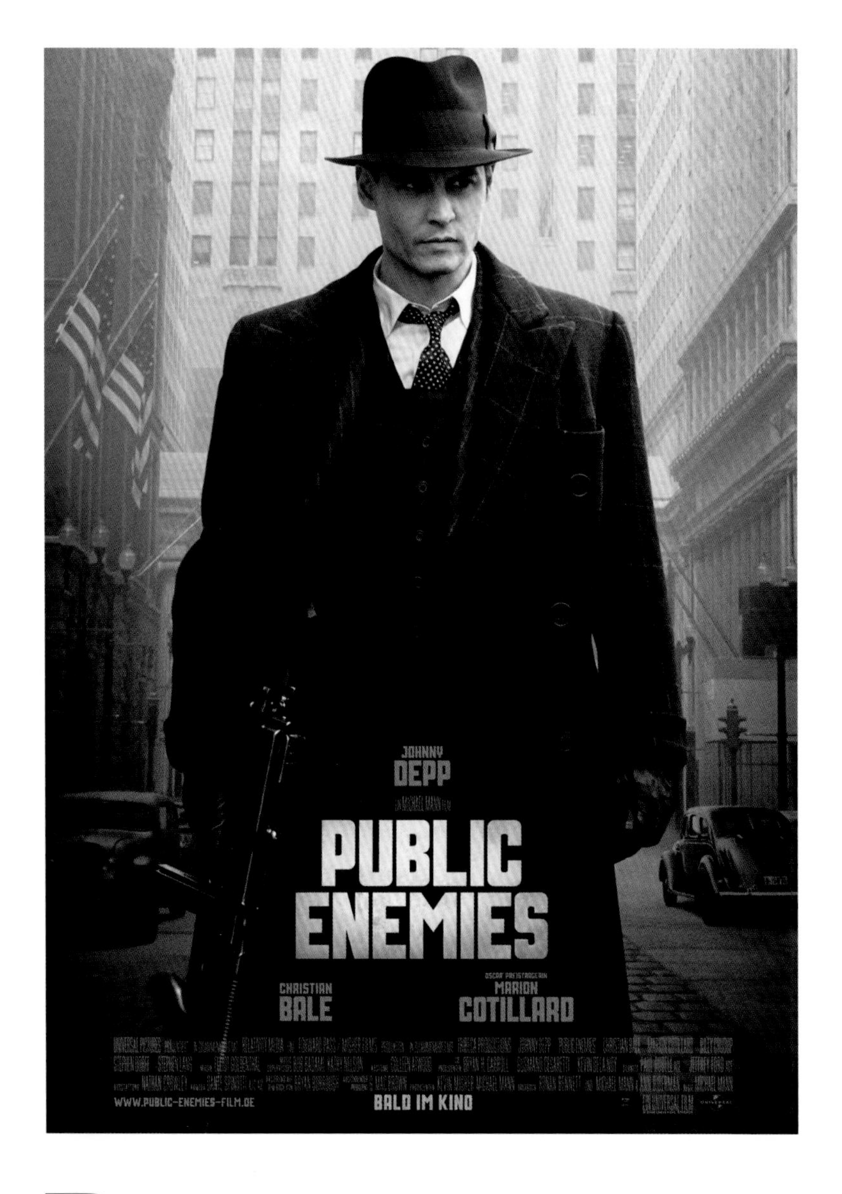

Denna biografifilm om den legendariske 30-talsgangstern John Dillinger regisserades av Michael Mann, och som sin främsta källa använde han den enormt hyllade faktaboken *Public Enemies: America's Greatest Crimewave and the Birth of the FBI, 1933–34* från 2004, skriven av Vanity Fairs Bryan Burrough. Bokens undertitel borde kanske snarare ha inspirerat till en dokumentär i flera delar på PBS eller BBC, men utsikten av Mann som regissör och Johnny Depp som huvudrollsinnehavare övertygade Universal Pictures om att det var en klok satsning att basera en film på boken och ge den en budget på 100 miljoner dollar.

Johnny Depp har is i magen, som han har i de flesta roller som har bidragit till att etablera honom som en av sin tids mest framstående skådespelare. Depps tonläge står i skarp kontrast till det tidigare filmporträttet av gangstern i John Milius film *Dillinger*, från 1973, i vilken Warren Oates tecknade titelgestalten som en sällskaplig, skämtsam charmör som slösade med ordspråk. Även om Depps tolkning av Dillinger äger större auktoritet än Oates, och dessutom kommer att hålla bättre för tidens tand, räcker det inte riktigt till för att bli en särskilt fängslande centralfigur.

Strax efter att filmen hade haft premiär sa Depp till Londontidningen Daily Telegraph att "John Dillinger var den tidens rockstjärna. Han var en väldigt karismatisk man och levde det liv han ville och kompromissade inte." Även om Depps Dillinger levererar någon enstaka, skarp oneliner och ibland håller en hänsynslöst skrytig utläggning, är det svårt att spåra ett enda rockstjärnedrag hos honom. Man kan snarare få för sig att rollgestalten döljer något. Enligt historiska källor verkar det här likväl vara en typ som inte har särskilt mycket att dölja: det du såg var vad du fick. Depp avslöjar sig dock tidigt i filmen när han entonigt säger "Jag heter John Dillinger – jag rånar banker."

Dillinger var bara en av många protagonister i Bryan Burroughs bok, som inte tecknade detaljerade levnadsöden över de enskilda förbrytarna från depressionen eller kom med teorier om vad som drev dem. I stället undersökte Burroughs hur dessa personer kollektivt startade en nationell brottsvåg stor nog för att FBI skulle förvandlas till den byråkratiska ångvält som än

Nytta och nöje: Den notoriske bankrånaren John Dillinger gör ännu en stöt och tar en svängom med flickvännen Billie Frechette (Marion Cotillard).

idag finns med oss. Givetvis kunde ingen filmregissör skapa en intresseväckande handling utifrån en så pass komplex historia – allra minst Michael Mann.

Depps mesta medbrottsling i *Public enemies* är den franska skådespelerskan Marion Cotillard (som Dillingers flickvän Billie Frechette), som gör några verkligt ömma scener med honom mellan filmens överdrivna eldstrider. Filmen hålls också uppe av den underskattade Billy Crudups närvaro, som ger sitt porträtt av den machiavelliske FBI-chefen J. Edgar Hoover en illmarig, sardonisk nyans. Dock är Christian Bale i den större rollen som Melvin Purvis, den man som fått i uppdrag att gripa Dillinger, ovanligt anonym. Men ändå, Purvis lyckas i alla fall få sista ordet i sin frustrerande, personliga kamp med Dillinger eftersom han finns med i det FBI-team som skjuter ner den beryktade bankrånaren utanför Biograph Theater i Chicago, där Dillinger just har sett en gangsterrulle.

Johnny Depp har aldrig varit snyggare än han är i *Public enemies* – och det är, paradoxalt nog, ett av de största problemen med Manns film. Förvisso föddes Depp bara några timmars bilfärd från rollgestaltens hemstad East Chicago i Indiana, men det är svårt att tänka sig en 30-talsfilmstjärna med ett exotiskt utseende i stil med Depps. Och till och med i en värld av småskurkar (vilket är vad Dillinger var, trots sitt överdrivna rykte) var Dillingers fysiska uppenbarelse inget man skrev hem om. Ingen skulle vara naiv nog att förvänta sig att en filmbiografi ska vara fullkomligt verklighetstrogen, men här gör Johnny Depps blotta närvaro det lite svårare att tro på att *Public enemies* hyperaktiva handling hade kunnat utspela sig under den stora depressionen i USA.

Denna temporala disharmoni förvärras bara av Michael Manns fixering vid att låta det visuella gå före allt annat. Bankerna som Dillinger rånar är oändligt mycket tjusigare än de slitna inrättningar där han faktiskt uträttade sitt kriminella värv, för att inte nämna det faktum att det här är en regissör som – vilket många kritiker påpekade – inte verkar vara det minsta intresserad av att ens antyda de ekonomiska svårigheter som de flesta amerikaner plågades av under depressionen. Manns enda erkännande av de ekonomiska förhållanden som rådde under Dil-

"Det känns som att han var en slags Robin Hood eftersom han brydde sig så mycket om människor. Han visste att det var ont om tid och jag tror att han hade funnit sig själv och förlikat sig med det faktum att det inte skulle bli en särskilt lång åktur, men att den skulle bli betydelsefull."

Motstående sida: "Jag heter John Dillinger – jag rånar banker."

Ovan: FBI-agenten Melvin Purvis (Christian Bale) har satt Dillinger bakom galler, men det blir inte långvarigt.

lingers fjorton månader långa brottsturné är en observation om att gangstern fick ett allmänt stöd hos en hårt ansatt befolkning som hade kommit att hata nationens banksystem i sin helhet.

Public enemies är helt uppenbart ett verk av en regissör som är angelägen om att vara "visuellt tilltalande" framför allt annat, och Michael Manns namn har varit synonymt med dessa två ord sen han skapade *Miami vice*, den fenomenalt framgångsrika polisserien som lanserades 1984 och – under loppet av fem säsonger – kom att anses som en av de tongivande kulturyttringarna under detta fasadfixerade årtionde. Manns rykte fortsatte att växa som ogräs under de följande årtiondena, trots att det mesta som han lämnade ifrån sig med rätta kunde sammanfattas i två, aningen mer rättframma ord: tekniskt imponerande.

Manns okloka beslut att filma *Public enemies* digitalt, ofta med hjälp av handkameror i HD-format, ger filmen en skakig, lågbudgetartad omedelbarhet som liknar den moderna reality-tv:n, eller nyheternas direktrapportering från ett brott som utdraget håller på att begås. "Jag ville inte att folk skulle se den från ett avstånd", förklarade Mann när det var dags för filmens premiär. "Jag ville att de skulle få en intim koppling till den tiden och att den tiden skulle göra avtryck på folk." Olyckligtvis tenderar *Public enemies* skarpa, ultraljusa, visuella stil att ha en alienerande effekt på åskådaren – vilket kan vara en av orsakerna till filmens halvdana prestationer i biljettkassorna. Även om recensionerna av den i stort var okej, drog *Public enemies* in totalt 215 miljoner dollar världen över, vilket verkar imponerande för den som inte känt de ekonomiska förhoppningar som följer med en budget på 100 miljoner dollar.

Den, relativt sett, kommersiella floppen *Public enemies* gjorde inte Michael Mann till en "samhällets fiende" i Hollywood, men den tjänade dock bara till att förvärra den stora skada hans rykte redan tagit efter det nesliga misslyckandet hans bombastiska *Miami vice*-film blev år 2006. Manns nästa uppdrag förde honom tillbaka till tv, som regissör för Showtimes serie *Luck* (med Dustin Hoffman i en av rollerna). Skådespelare får sällan stå lika mycket till svars för den allmänna smakens nycker, och ingen lika lite som Johnny Depp, som ännu en gång gjorde den mest oväntade upphämtning.

Alice i Underlandet

2010

”Går du inte på lina jonglerandes supervassa knivar så finns det egentligen ingen anledning att hålla på.”

Att Tim Burton skulle regissera en ny filmbearbetning av Lewis Carrolls klassiker Alice i Underlandet *(Alice's Adventures in Wonderland)* från 1865, kan ha verkat fullständigt självklart för alla som är bekanta med regissörens verk, men projektet var faktiskt inte hans idé. Alice kom faktiskt till Burton genom manus- och romanförfattaren Linda Woolverton, som hade bestämt sig för att foga samman Alice i Underlandet med uppföljaren från 1871, *Alice i Spegellandet (Through the Looking-glass)*, till en enda berättelse, och tillföra några nya vändningar i originalförfattarens numera välkända föreställningsvärld. Med *Alice* anslöt Burton sig till 2000-talets trend att släppa filmer i 3D, men hans beslut att filma i 2D för att sen lägga till en dimension i efterproduktionen förargade James *"Avatar"* Cameron, som anklagade sin kollega för att "hämma 3D-tillväxten" – vad nu det ska betyda.

Vad gäller handlingen skulle Burtons Alice inte vara en liten flicka, utan en nittonåring som slår till reträtt under pressen från en inkräktande vuxenvärld. Och hon skulle inte heller hamna i Underlandet, utan i Underlandet (eng. *'Under*land' som i prepositionen 'under', ö.a.), en version av Carrolls ombytliga fantasivärld som, trots att den vrids i flera nya riktningar, ändå är igenkännlig. (Mot slutet av filmen refererar en av Underlandets invånare till Alices barndomsbesök i den surrealistiska domänen och hennes feltolkning av dess namn som "Underlandet".)

När han satte samman Alices ensemble gav Burton titelrollen till den föga kända australiensiska skådespelerskan Mia Wasikowska som då var arton år, och regissören gav nyckelroller till två extremt välkända ansikten. Helena Bonham Carter – med vilken regissören nu hade två barn – skulle spela den tyranniska Red Queen, medan den alltid lika pålitliga Johnny Depp – gudfar till Burtons och Bonham Carters båda barn – skulle medverka som Alices hetsiga guide Mad Hatter.

Till skillnad från många andra rollgestalter i Depps tidigare

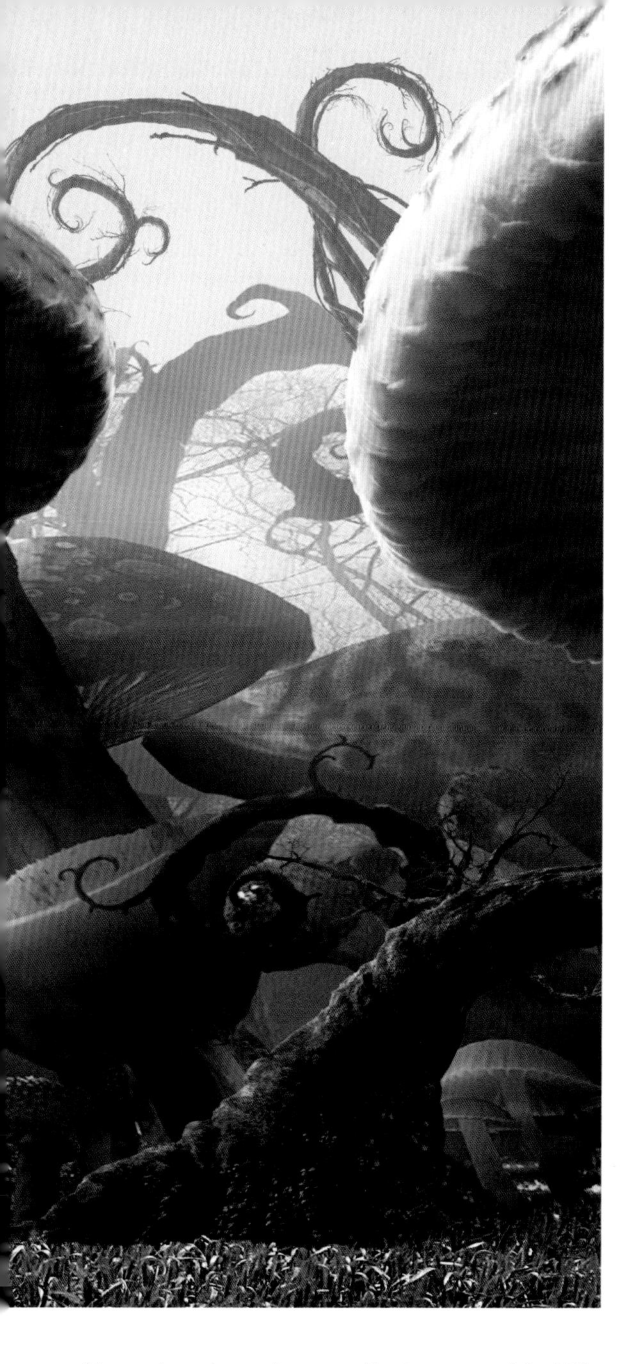

Vänster: Depps Mad Hatter har kvicksilverförgiftning snarare än magisk svamp att tacka för sin galenskap.

Nedan: Johnny Depp och Tim Burton ännu en gång förenade i tanken.

”En gång stod jag och Tim och pratade innan vi skulle göra oss redo för att börja filma. Efteråt kommer en av passarna fram till mig och ser helt perplex ut. Han säger, 'Jag har just kollat på dig och Tim den senaste kvarten när ni pratade om scenen.' 'Jaha?' Och då säger han, 'Jag fattade inte ett jävla ord av vad någon av er sa.'”

filmer inspirerades nytolkningen av Mad Hatter inte i första hand av en kombination av andra individer (varken fiktiva eller verkliga) utan av ett mindre känt inslag i den engelska tillvaron under mitten av 1800-talet. Det filttyg som den tidens modister använde för att fodra hattarna tillverkades i en process där kvicksilver ingick, och när substansen trängde igenom huden på dessa hattmakare orsakade det ofta mentala rubbningar.

När Johnny Depp kom över denna lilla spillra av information beslöt han sig för att vidareutveckla tanken, och skapa en Mad Hatter som verkligen levde upp till namnet. ”Jag tror [han] blev förgiftad – väldigt, väldigt förgiftad”, sa Depp. ”Och jag tror att det påverkades alla hans nerver.”

Eftersom beteendet hos Carrolls besynnerliga figur mycket väl kan ha orsakats av att han blivit utsatt för kvicksilver valde Depp helt enkelt att överdriva symptomen hos ett av de tillstånd detta orsakade och lät sin mentalt rubbade rollgestalt ryckigt växla mellan olika personligheter, där en hade distinkt Glasgowdialekt. (Och proveniensen var högst oväntad: Depp använde sig av den populära skotska komediprofilen Rab C. Nesbitt som grund.) På ett sätt som säkert skulle undgå alla utan examen i Lewis Carroll-kunskap försäkrade sig Depp om att hans gluggtandade Mad Hatter även visade upp yttre symptom på kvicksilverförgiftning, därför har hans hy ett orange skimmer, och därför verkar en orange substans sippra ut från hans nagelband och hud.

Johnny Depps Mad Hatter har till och med orange, krulligt hår som spretar under hans kännetecknande cylinderhatt – skådespelaren ställer upp med en vansinnigt manierad föreställning som stämmer precis med det groteska draget i Tim Burtons omtolkning av *Alice*-myten. Burtons verk har ofta sina rötter i de skisser han gör för att ta fram sin filmiska vision, sen kanaliseras detta genom hans inre scenograf, en process som ger honom många fans samtidigt som det ger bränsle åt kritiker. I *Alice i Underlandet* är det den inre scenografen som håller i showen: fil-

men är lämpligt nog kväljande yr, något som uppstår genom att Burton bombarderar sin publik med vrickat visuellt godis. Det mest minnesvärda av dessa är förstås den datoranimerade effekt som ger Helena Bonham Carters bortskämda Red Queen hennes lökformade, överdimensionerade huvud ovanpå en groteskt liten kropp.

Lewis Carrolls Alice-böcker karaktäriseras av det myller av individer som passerar, så genom att välja att spela Mad Hatter inordnade Johnny Depp avsiktligt sin *Pirates of the Caribbean*-stjärnglans under Tim Burtons fana. Depp var bara en av tre skådespelare som figurerade på affischerna för *Alice i Underlandet* (Bonham Carter och Wasikowska var de andra två), men filmens ekonomiska prestation skulle ge en fingervisning om den kreativa allians som Burton och Depp bildade redan tjugo år tidigare var fortsatt livsduglig. Ännu en gång blev det blandade recensioner – och ännu en gång gjorde ett Burton-Deppsamarbete lysande affärer, och fick den här gången slå följe med den andra och den fjärde *Pirates*-filmen i kategorin "en miljard dollar+".

Ovan, vänster: "Vilket beklagligt stort huvud ni har." Tack vare datoranimerade effekter går det knappt att känna igen Helena Bonham Carter som Red Queen.

Ovan: En förminskad Alice (Mia Wasikowska) deltar i Mad Hatters fantastiska tebjudning.

”Att välja att ta sig an Alice i Underlandet det är en sak, och att sen göra det på Tim Burtons sätt, det är vansinne. Det är så storartat eftersom vare sig det är datoranimationer, greenscreen eller 3D eller vanligt skådespeleri, så har han gjort allt i den här. Det är det största åtagande jag någonsin varit med om.”

The Tourist

2010

”Det är svårare att spela någon som min rollgestalt i The Tourist. Jag har som mest roligt när jag kan gömma mig bakom en peruk eller en hatt eller smink.”

Turisten Frank Tupelo (Johnny Depp) betraktar Venedigs sevärdheter och flyr med den brittiska agenten Elise Clifton-Ward (Angelina Jolie).

Den här nyinspelningen av den franska thrillern *Anthony Zimmer*, från 2005, fick ingen ideal start eftersom en serie drastiska förändringar av privat natur drabbade projektet innan arbetet till slut inleddes i februari 2010. Vid det laget hade regissören Florian Henckel von Donnersmarck övergett projektet på grund av "konstnärliga motsättningar", för att sen återvända och skriva om slutversionen av manuset på två veckor. Henckel von Donnersmarck hade gjort sig ett namn som regissören av *De andras liv (Das Leben der Anderen)*, den ojämförliga kalla kriget-thrillern från 2006, (som vann en Oscar för bästa utländska film år 2007), och det är svårt att föreställa sig en mer olämplig uppföljare för honom än *The Tourist*.

Sista minuten-justeringen av *The Tourists* manus måste ytterligare ha förkortat den deadline som filmen tvingades anpassa sig till på grund av Johnny Depps åtaganden i *Pirates of the Caribbean*-filmerna. *The Tourist* filmades på mindre än två månader - häpnadsväckande lite tid för en film med en budget på 100 miljoner dollar. Olyckligtvis syntes de här förhållandena alltför väl i slutresultatet.

Johnny Depps yttre i *The Tourist* minner om den i princip bortglömda thrillern *I sista sekunden* från 1995, där han tog möjligheten att addera en avvikande "normal kille" till sin växande samling av missfoster och nördar. Den här gången spelar Depp en viss Frank Tupelo, som vi först får möta på ett tåg på väg från Paris till Venedig. Han är sjaskigare, mycket mindre hipp och ganska så mycket plufsigare än den Johnny Depp vi har vant oss vid genom åren. Tupelo får ganska snabbt sällskap av en glamorös främling vid namn Elise Clifton-Ward (Angelina Jolie), vilken vi redan vet är en brittisk agent inblandad i ett högteknologiskt uppdrag - att gripa en skurkaktig före detta pojkvän. Jolie dammar av den förnäma brittiska engelskan från huvudrollen hon hade i den halvhjärtade tv-spelsbearbetningen från 2001, *Lara Croft: Tomb raider*, och ger sig sen aggressivt i kast med att förtrolla sitt trögtänkta amerikanska sällskap.

Regissör Florian Henckel von Donnersmarck försäkrar publiken om att det här är en film i den högre ligan genom att avslöja att Elise Clifton-Wards tidigare älskare, Alexander Pearce, är efterlyst av Scotland Yard angående en skatteskuld på 744 miljoner pund. Och för att bekräfta att det här kommer att bli en komplex och fängslande thriller får vi höra att Pearce lagt 20 miljoner dol-

lar på att göra sig själv oigenkännlig med hjälp av plastikkirurgi. Och inte nog med det, det sipprar även ut att Pearce har roffat åt sig ungefär 2 miljarder pund från den engelska förbrytarkungen Reginald Shaw (Steven Berkoff) – Shaw har fått höra talas om Jolies resa till Venedig och planerar att genskjuta henne där i ett försök att finna Alexander Pearce.

Även om en film som *The Tourist* inte bör bry sig överdrivet mycket om realism eller jordnära logik måste den ändå, för att kunna nå sitt mål, behålla i alla fall en smula trovärdighet. Det här verkar Henckel von Donnersmarck inte bekymra sig om, och därmed börjar sprickorna dyka upp redan då Clifton-Ward erbjuder Frank Tupelo att dela hennes hotellrum. Varningsklockorna ringer när den här exotiska (och eventuellt ganska farliga) kvinnan, för andra gången i den här filmen, mottar ett anonymt meddelande som ger order om hennes nästa steg, och lyder dem.

Vad som följer är ett ganska ordinärt virrvarr av kidnappningar, gripanden, båtjakter, krypskyttar och dubbelspel (möjligtvis trippel-), vilket på något vis sammanlagt ger på tok för lite effekt, till och med om man räknar in den Enorma Vändning som uppenbarar sig i själva slutet av filmen. Det enda riktigt fängslande som *The Tourist* lyckas erbjuda är: Hur kommer det sig att Johnny Depp medverkar i den? (Vid det laget i hans karriär är det tveksamt ifall ett arvode på 20 miljoner dollar skulle ha varit nog för att säkra Depps underskrift.) Man kan också undra hur en film kunde bli så otroligt fel med tanke på att högt rankade medförfattare som Julian Fellows (*Gosford Park*) och Christopher McQuarrie (De misstänkta) var inblandade, men Fellows har i och för sig i efterhand avslöjat att filmen till slut innehöll mycket lite av hans bidrag.

Som man lätt kan föreställa sig gick *The Tourist*, när den hade premiär i december 2010, inte hem hos kritikerna – för att uttrycka sig milt. Den åsikt som de flesta delade angående denna tänkta kassasuccé sammanfattades snyggt och prydligt av Peter Travers på Rolling Stone. Travers är känd som en av de mest välvilliga bland de ansedda recensenterna i USA, men den här gången fnös han: ”*The Tourist* uppnår perfektion på sitt eget sätt – den misslyckas på varje upptänklig punkt.” Amerikanska biobesökare lös med sina frånvarande massor, och filmen tjänade in en besvikelse – 67 miljoner dollar på hemmaplan. Likväl, med den internationella avkastningen på 210 miljoner behövde den här

"Angelina är lite som en vandrande dikt – den fulländade skönheten som samtidigt är väldigt djup och väldigt smart."

Vänster: Depp och Jolie i en tango, men deras fotarbete var inte kvickt nog för att de skulle komma undan att bli slaktade av kritikerna och dräpta av Golden Globes värd Ricky Gervais.

Motstående sida: Närvarar vid den tyska premiären för *The Tourist*, Berlin, december 2010.

konstnärliga förvillelsen i alla fall inte bära ytterligare ett stigma genom att vara en ekonomisk katastrof.

Hela debaclet skulle antagligen ha glömts bort redan tidigt 2011 om inte Hollywood Foreign Press Association hade beslutat sig för att inkludera *The Tourist* i sina Golden Globe-nomineringar – i kategorin "Bästa film: musikal/komedi". När de nominerade tillkännagavs luftade Hollywood Reporter en populär teori angående den bisarra omklassificeringen av *The Tourist*: "Betrakta det här som en ytterligt omständligt framställd inbjudan" [till Depp och Jolie att närvara vid prisceremonin]. HFPA påpekade raskt att det hela hade varit ett förslag från producenterna och regissören av *The Tourist*.

Även om *The Tourist* inte var helt utan sina stunder av avsiktlig humor hade HFPA snabbt förvandlat filmen till ett kulturellt skämt. För att göra det hela ännu värre stod den engelske komikern Ricky Gervais värd för 2011 års Golden Globe-gala, under föregående års ceremoni hade han toppridit drömfabrikens uppförandekod genom att dela ut förolämpningar till många av de rika och mäktiga som närvarade. Det här året skulle Johnny Depp och Angelina Jolie (båda nominerade i samma opassande kategori som *The Tourist*) vara bland dem som stod i mottagaränden.

Inom två minuter av Golden Globe-galans inledning kommenterade Gervais antalet framgångsrika 3D-filmer som hade dykt upp 2010. "Det verkar som att allt var tredimensionellt det här året", och så tillade han, "utom rollgestalterna i *The Tourist*… fast jag upprepar bara vad andra säger, för jag har inte sett *The Tourist*. Har någon det?"

Gervais fortsatte att svinga: "Jag skulle vilja dementera ryktena om att enda skälet till att *The Tourist* nominerades var att Hollywood Foreign Press skulle få hänga med Johnny Depp och Angelina Jolie. Det är struntprat, det är inte enda skälet – de tog även emot mutor." Och så kameraväxling till Johnny Depp i publiken, tuggummituggande och med ett morskt flin.

Ingen i Hollywood kunde ha varit mer immun mot Ricky Gervais gliringar än Depp, som återfann sitt flyt med den hyllade animerade långfilmen *Rango* och den fjärde, kioskvältande delen av *Pirates of the Caribbean*. Men mot slutet av året blåste Depp åter liv i den plågsamma historien *The Tourist* i och med ett agerande som få andra skådespelare på hans inkomstnivå ens skulle ha övervägt: han medverkade som sig själv i ett avsnitt av Gervais obekväma komediserie för HBO, *Life's too short*. Det rådde delade meningar om ifall medverkandet, ur Depps perspektiv, var en triumf eller ytterligare förödmjukning – vilket mycket väl kan ha varit exakt den reaktion han hade hoppats på.

Pirates of the Caribbean

I främmande farvatten

2011

”Det har varit så himla kul, det har varit så himla kul, och hela erfarenheten har varit … alltså, jag har inget illa att säga om det.”

Vänster: Johnny Depp fick en ersättning på 55 miljoner dollar för *I främmande farvatten* som i sin tur tjänade in en miljard.

Motstående sida: Kapten Jack försöker att inte fördjupa sig alltför mycket i det förflutna han delar med Angelica Teach (Penélope Cruz).

”Den här påminner lite mer om den första, mer persondriven ... mer temadriven. Den känns fräsch och mindre beräknande.”

I maj 2011, strax innan man släppte den fjärde filmen i den vilt galopperande *Pirates of the Caribbean*-serien gjorde Johnny Depp detta oroväckande avslöjande i Entertainment Weekly: ”Jag minns hur jag pratade med [regissör Gore Verbinski] några gånger under arbetet med [*Pirates*] 2 eller 3 och att jag sa 'Jag vet inte riktigt vad det här betyder'. Han sa 'Det gör inte jag heller, men nu filmar vi det bara'.” Vad som får en att tappa hakan ännu mer än Depps uttalande rörande hans pengaalstrande marina filmfranchise är att, trots att huvudrollsinnehavaren erkände att inte ens han kunde hålla ordning på alla trådarna i intrigen, så drog den mest svårpenetrerade av de tre filmerna – *Vid världens ände*, den tredje i serien – ändå in nästan en miljard dollar i avkastning på biljettintäkterna, för att inte tala om de outtalade miljoner som genererats av de oräkneliga marknadsföringsmöjligheterna. Frågan var bara om publiken, efter att ha ställts inför den virriga interna logiken i den tredje *Pirates*-filmen, skulle återvända för en fjärde portion? Om något, så skulle svaret avslöja hur stark Johnny Depps stjärnglans var i nuläget.

Finansiärerna bakom *Pirates*-serien verkade gardera sin insats i den fjärde filmens kommersiella framgång, med tanke på hur öppna de var med beslutet att ge den nya filmen en något mindre budget än den som *Vid världens ände* hade fått. Pekuniär försiktighet innebar att man valde billigare inspelningsplatser för *I främmande farvatten (On Stranger Tides)* och gav mindre tid för inspelning och ännu mindre för efterproduktion. Den senare tidkomprimeringen gjorde att specialeffektsarbetet lades ut på inte mindre än tio olika bolag.

Det fanns bara två poster i budgeten där man inte höll tillbaka på utgifterna. Med *Chicago*-regissören Rob Marshall på Gore Verbinskis plats vid spakarna filmades den nya filmen i 3D, med uppdaterade versioner av de kameror som James Cameron använde i sin banbrytande succé från 2009, *Avatar*. Och även om Disney duckade för Johnny Depps anspråk på att få procent på avkastningen från biljettintäkterna för sitt fjärde porträtt av kapten Jack Sparrow, så sägs bolaget ha gått med på att betala honom en oöverträffad summa på 55 miljoner dollar för hans insatser.

Ekonomisk oro åsido ansåg man också att de kreativa tömmarna skulle hållas kort i denna fjärde *Pirates*-film, eftersom *Vid*

världens ände hade krävt nästan tre timmar för att förmedla sin obegripliga historia. Det här innebar att kapten Jacks nya äventyr skulle bli en fristående historia utan den sortens splittrade tankar som lämnat så mycket förvirring och så många lösa trådar bakom sig när de första tre filmerna hade spelat ut sin roll. Som ytterligare bekräftelse att Johnny Depps närvaro var det enda oersättliga elementet i denna filmbranschens nya underdivision i mångmiljardklassen, lovade producenterna för *I främmande farvatten* honom stort inflytande över filmens manus.

Eftersom den tredje delen i *Pirates*-serien slutade med ett definitivt avslut för Elizabeth Swann (Keira Knightley) och Will Turner (Orlando Bloom) kunde man utan problem göra sig av med dessa två gestalter. Redan 2007 hade seriens huvudförfattare Terry Rossio och Ted Elliott upptäckt Tim Powers piratroman från 1987, *On stranger tides*, vilken Disney i tysthet köpte rättigheterna till. Genom att vända sig till boken som en källa för det fjärde piratäventyret fann filmens kreatörer grunderna till två nya gestalter att placera vid sidan om Jack Sparrow. Den första av dessa var den legendariske Blackbeard, som i filmen porträtteras av den gråsprängda engelska skådespelaren Ian McShane (för en amerikansk publik mest känd som Al Swearengen, centralgestalt i HBO:s hyllade serie *Deadwood* som gjordes i tre säsonger).

I främmande farvattens andra nykomling är Blackbeards dotter Angelica, en före detta flamma till kapten Jack som porträtteras av Depps motspelerska från *Blow*, Penélope Cruz. Det ödesförföljda paret möts i den mest omöjliga situation: en svärdskamp som Sparrow satt igång då han upptäckt någon som utgett sig för att vara honom på en hamnkrog. Efter några minuter av korsade klingor sliter kapten Jack av främlingens lösmustasch för att upptäcka ... Angelica, som han hänsynslöst övergav några år tidigare.

Det stridslystna fruntimret utkräver en slags hämnd för Jacks svek genom att lura honom att delta i hennes fars sökande efter den mytomspunna Ungdomens källa, där de måste utföra en komplicerad, graal-besläktad ritual av inte helt klargjorda skäl. Jacks belägenhet är särskilt olycklig eftersom han just har lagt en massa energi på att fly från sin gamla rival Barbossa, som numera är i tjänst hos kung Georg II (utmärkt spelad av Richard

> *”För mig tror jag att, eftersom jag älskar rollen så mycket och njuter så mycket av att spela den och folk verkar gilla det, om det finns en möjlighet att försöka igen så är det, liksom, som att kämpa för nåt. Man vill ut dit igen och försöka och försöka och försöka och se vad man kan åstadkomma. Jag njuter väldigt mycket av att spela kapten Jack.”*

Ovan: Ögonblicket då Jack står öga mot öga med den som utger sig för att vara honom.

Motstående sida: Kung Georg II försöker värva kapten Jack för sökandet efter Ungdomens källa.

Uppslaget: På väg att ro bort från Angelica, men inte från franchisen – Depp har skrivit på för en femte *Pirates*-film.

Griffith i sin allra sprättigaste form) och – tack vare den alltid lika hotfulla Blackbeard – tar sig fram på ett träben. Barbossa har också för avsikt att nå Ungdomens källa och vill att Jack ska hjälpa honom att komma dit innan den spanska flottan.

Spelad av Geoffrey Rush får Barbossa en mer framskjuten position än han haft i föregående filmer, och han får dela ut en tillbörlig och ansenlig mängd kvicka riposter, vilket dittills varit endast Depps rollgestalt förunnat. Det här persondynamiska skiftet ger filmen ett lyft, liksom det högexplosiva förhållandet mellan Angelica och Jack Sparrow. Värdet av de båda nya inslagen ökar allteftersom filmens manusförfattare börjar väva en gobeläng av knappt trovärdiga intrigtrådar där de arbetsamt flätar in nya sällsamma element. Det främsta av dessa är ett gäng mordiska sjöjungfrur, där majoriteten skulle platsa i en vattenlevande 1700-tals-version av Victoria's Secret-katalogen.

Filmens klimax inträffar vid en uppgörelse vid Ungdomens källa, vilket resulterar i ett blodigt och övernaturligt upplösande av en av filmens protagonister. I efterdyningarna av detta svindlande mellanspel slutar filmen på ett mer stillsamt vis – med Jack och Angelica ensamma på en liten öde ö. Hon förklarar honom sin eviga kärlek; han svarar med att hastigt ro därifrån och lämna henne strandad – som enda sällskap har hon en voodoodocka i form av Jack Sparrow …

Trots att den inte lyckades att helt leva upp till sina kreatörers löfte om en sammanhållen handling, är *I främmande farvatten* definitivt mer koncis och mindre komplicerad än den närmaste föregångaren. Kritikernas gensvar var, likväl, inte särskilt uppmuntrande – många recensenter klagade på att de fått en överdos av Sparrow och anklagade serien för att ha övertrasserat gästfriheten. Och ändå, som så ofta, tyckte publiken annorlunda och den fjärde delen av *Pirates of the Caribbean* tjänade in mer än en miljard dollar världen över, och hamnade därmed på nionde plats bland de mest inkomstbringande filmerna genom tiderna. Johnny Depps biljettkassekarisma funkade fortfarande. Något oroande var det dock att hans lockelse på den internationella marknaden var så stark att det hotade att förvandla honom till den mest förlöjligade skådespelarsorten, den ”internationella superstjärnan”.

”Om de fortfarande vill ha mig i rollen, och någon gång i framtiden köra fram mig som Jack i en rullstol, så kommer jag vara med på det.”

The rum diary

2011

”Jag tror att den här filmen kommer att få ett hyll-liv. Jag tror att den kommer hänga kvar och att folk kommer titta på den och gilla den.”

WELCOME TO PUE

JOHNNY DEPP

the RUM DIARY

ABSOLUTELY NOTHING IN MODERATION

R RESTRICTED

GK films

FILMENGINE

FILMDISTRICT

www.rumdiarythemovie.com

"När vi spelade in The rum diary *var Hunter närvarande, liksom. Vi hade en stol på inspelningsplats med hans namn på. Vi hade en flaska Chivas Regal, ett grogglas fyllt med is, hans Dunhills och cigarettmunstycke."*

Vänster: Tretton år efter *Fear and loathing in Las Vegas* spelar Depp Paul Kemp, en annan version av Hunter S. Thompson.

Motstående sida, överst: En diskussion på inspelningsplats med regissören Bruce Robinson.

Motstående sida, nederst: Den hårt levande Kemp super i stearinljusens sken med journalistkollegorna Sala (Michael Rispoli) och Moberg (Giovanni Ribisi).

Sex år efter att hans gode vän och anförvant Hunter S. Thompson dött, satte Johnny Depp deras planer på att göra en film av Thompsons halvt självbiografiska roman *The rum diary* i verket, en bok som skrevs under tidigt 60-tal och slutligen gavs ut 1998. Som man kunde förvänta sig tog Depp rollen som Paul Kemp, en knappt maskerad version av den unge Thompson som ger sig av från New York till Puerto Rico för att bluffa sig in på öns största engelskspråkiga dagstidning, San Juan Star.

Processen inleddes med att Depp gav sig själv en inte helt lätt uppgift: han bestämde sig för att den enda manusförfattare och regissör som var lämpad för det här projektet var Bruce Robinson, en sardonisk och tillbakadragen engelsman som halvt gått i pension nästan två årtionden tidigare, 46 år gammal. Robinson är främst känd som skaparen bakom *Withnail och jag* (*Withnail and I*, 1987) som ingår i en liten grupp upphöjda filmer (se även *The Big Lebowski*) vars kultstatus bara verkar förstärkas från år till år, med trogna följare som laddar verket med en nästintill religiös innebörd. Det är svårt att föreställa sig en enda levande skådespelare som kunde ha övertalat Bruce Robinson att överge sin ensliga gård för att regissera sin första film på nitton år, så det är verkligen talande för Depps uppriktiga charm att han på något vis lyckades uppnå just det målet.

Utifrån Thompsons egna erfarenheter av en kort jobbvistelse 1960 i Puerto Rico inleds *The rum diary* med att Depps Paul Kemp anställs av San Juan Star efter att tidningens redaktör hånat hans cv som en lista grova lögner. Den generösa handlingen får sin förklaring när Kemp upptäcker att han var den enda sökande till jobbet. Till hans stora förvåning och nöje inser han att han just slagit sig ihop med ett fallfärdigt företag befolkat med

VOTE REPUBLICA
IN 1956

En stund tillsammans med Chenault (Amber Heard), den blivande troféhustrun till den hänsynslöse mäklaren Sanderson (ovan); och här har han intagit en av Puerto Ricos övergivna stränder (vänster).

Johnny Depp och Amber Heard på en pressfotografering för *The rum diary* i Paris, november 2011.

håglösa avarter, samt en handfull erfarna journalister som i själva verket gör allt det arbete som krävs för att få ut en dagstidning.

Tack vare Bruce Robinsons skarpa redigering av den unge Thompsons hoprafsade roman påminner den rådande tonen i *The rum diary* lite om Graham Greenes främsta verk – vilka utan problem drar en parallell mellan kolonialväldets upplösning och vanstyre och det sjudande missnöjet hos ursprungsinvånarna. Som nykomling i Puerto Rico är Paul Kemp extra känslig för det sociopolitiska klimatet, men en rejäl alkoholvana håller honom ordentligt avskärmad från en obehaglig verklighet. *The rum diary* är – trots sin budget på 45 miljoner dollar – en film som tycks medvetet begränsad i sin spännvidd, även om Johnny Depps prestation skulle kröna vilken som helst av Hollywoods miljardstarka politiska thrillers. Efter att ha spelat den äldre, mer cyniska och drogärrade versionen av Thompson i *Fear and loathing in Las Vegas* 1998 lyckas Depp bakåtutveckla den självdestruktiva rollgestalten till en yngre man som bär subtila men likväl omisskännliga tecken på vad han kommer att bli inom mindre än ett decennium.

En mäklarmagnat, som tagen ur *Den store Gatsby*, vid namn Sanderson (spelad av Aaron Eckhart) vill genast ha Kemp upptagen i en krets korrumperade kompanjoner som vill att han byter in sin journalistiska integritet – hur den nu ser ut – mot rena kontanter för att koka ihop historier som skulle gynna deras planer på att göra om regionen till deras egna lukrativa feodalsamhälle. Kemp inser dock någonstans i dimman att det här är ett avgörande vägskäl i hans liv. Etisk tandagnisslan får dock vänta tills han ordnat upp den mer akuta krisen i form av den farligt frestande uppmärksamhet han får av Sandersons tilldragande och förskräckligt unga hustru Chenault, spelad av den tjugoåriga skådespelerskan Amber Heard från Texas.

Trots tydligt blygsamma ambitioner mottog *The rum diary* osedvanligt ovänlig behandling från filmkritikerna. Men å andra sidan skulle det faktum att Depp tidigare nått kommersiell framgång med kritikerrisade filmer kunna antyda att det här projektets nesliga misslyckande kanske var en följd av Hollywoods absolut otäckaste smitta: skitsnack. Bruce Robinsons comeback glömdes alltså snabbt bort – men det här skulle dock inte vara sista gången namnet Johnny Depp hamnade i tryck strax intill hans unga motspelerskas, Amber Heard.

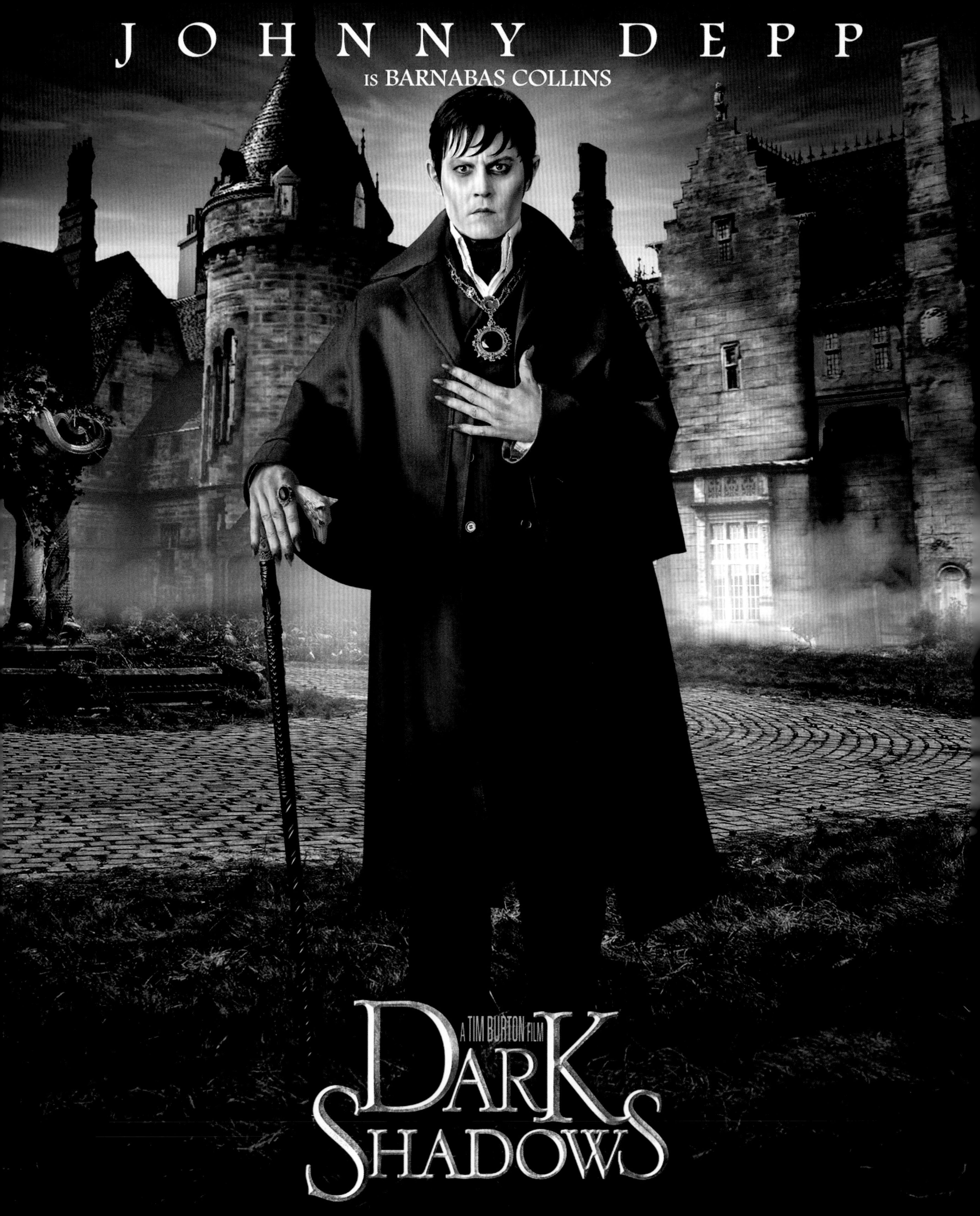
JOHNNY DEPP
IS BARNABAS COLLINS
A TIM BURTON FILM
DARK
SHADOWS

Dark shadows

2012

”Det var en chans … att liksom gå in i något som egentligen inte existerar längre, vilket är klassiskt monstersmink och klassiska monsterroller.”

Vänster: Tim Burton regisserar Johnny Depp och Eva Green i ett samarbete initierat av Johnny Depp.

Motstående sida: I det här återupplivandet av "Satans favoritserie på tv" spelar Depp den snorkiga vampyren Barnabas Collins.

År 2012 kastade Tim Burton ännu en gång hungriga blickar på nyinspelningsbuffén – men den här gången vände han sig till något av en annan natur än hans omtolkningar *Apornas planet* och *Kalle och chokladfabriken*. Filmbranschens skarpsinniga hjärnor menar ofta att det finns två giltiga skäl till att göra en nyinspelning: antingen var originalfilmen ett bristfälligt utförande av en bra idé; eller så uppskattades den – av ett eller annat skäl – inte tillräckligt av sin egen samtid. (Fenomenet med nyinspelningar av utländsk film verkar uppta en gråzon någonstans mitt emellan den här kategorin och nyinspelningar av succéfilmer från det förflutna.)

Originalet *Dark shadows* var en kulturell mutation som inte riktigt passade in i något existerande paradigm: det här var en gotikfärgad, halvtimmeslång eftermiddagsserie som fick upp farten först – efter en lansering utan framgång – då den desperat började ty sig till en övernaturlig handling. Trots att den stämplades som "Satans favoritserie på tv" av åtminstone en religiös grupp frodades den pånyttfödda serien, och hade i slutänden radat upp 1 225 avsnitt mellan 1966 och 1971.

Fast att denna i grunden märkliga serie hade suddats ut ur massans minne hade den ändå sina trogna anhängare, inklusive både Tim Burton och Johnny Depp, där den senare – trots att han bara knappt var tillräckligt gammal för att komma ihåg serien från då den först visades – var den som först fick idén att göra en filmversion. Efter att Depp lyckats övertala sin gamla vän om att de skulle samarbeta i filmen *Dark shadows* tog Burtons egen entusiasm för serien över, och för att ge kropp åt sin vision av projektet tog han Seth Grahame-Smith, som skrivit manus för tv-serier, med sig på resan.

Dark shadows kretsar, liksom sin tv-föregångare, kring en dandyartad vampyr vid namn Barnabas Collins – men filmversionen, som utspelar sig 1972, visar upp en 200 år gammal version av figuren, som av en olyckshändelse tas upp ur sin grav av ett olycksaligt bygglag. Barnabas snobbiga reaktion på den obekanta moderna tiden kan jämföras med en överdriven version av Austin Powers, eller kanske en förlängning av huvudtemat bakom *Adam Adamant Lives!*, den brittiska tv-serien från 1960-talet i vilken en edwardiansk gentleman tinas upp mitt i Swinging

"Det finns en elegans hos den här killen som är ganska rolig; Barnabas är bra. Och bara se dig omkring – det finns inget som att jobba med Tim."

Av en olyckshändelse uppväckt från de odöda efter två århundraden kämpar Barnabas med att förstå sig på 1972 års Amerika.

London efter att ha tillbringat 64 år inkapslad i ett isblock.

Barnabas återvänder till familjen Collins residens i staden Collinsport, Maine, och bekantar sig, lika högtravande som William Shatner när han gör Shakespeare, med sina dysfunktionella ättlingar. Det är bara matriarken Elizabeth Collins Stoddard (spelad av den förnämt frostiga Michelle Pfeiffer) som är invigd i Barnabas 200 år gamla hemlighet. För resten av familjen, och alla andra personer i den moderna tiden, låtsas han vara en avlägsen släkting som har kommit till England för att återuppliva familjens döende fiskeföretag.

Familjen Collins firma har skuffats undan av ett konkurrerande företag i Angelique Bouchards (Eva Green) ägo, och hon visar sig vara den för evigt unga häxa som bar ansvaret för att Barnabas en gång blev vampyr, för att inte nämna hans för tidiga begravning. Bouchard drevs av sin obesvarade kärlek till Depps rollgestalt, och beslutsamt gör hon ett nytt försök att vinna hans tillgivenhet, den här gången med en högtflygande sexscen som är en av flera enskilda höjdpunkter i *Dark shadows*.

Eva Green är en av många i Burtons ensemble som uppnår individuell förträfflighet i filmen. Förutom Depp och Pfeiffer finns också senare tids Burtonmusa Helena Bonham Carter, som hänger sig åt rollen som doktor Julia Hoffman, husets egen bystiga psykiater som alltid dricker och röker sig igenom familjemiddagarna. När Hoffman hypnotiserar Barnabas upptäcker hon hans sanna identitet, vilket sätter igång en tumultartad kedja av såpoperahändelser som kulminerar i mordbrand, en uppretad folkhop och all möjlig sorts övernaturlig förödelse.

Tyvärr misslyckas *Dark shadows* intrig anmärkningsvärt med att få till den sortens driv man förväntar sig av en film som kostat 150 miljoner dollar att göra, även om Burton lyckas locka fram gedigna insatser från skådespelarna i de större rollerna. Liksom så många andra filmer gjorda av lika förmögna och väletablerade regissörer som Tim Burton verkar *Dark shadows* ha

gjorts av någon som de senaste tio åren knappt sett en film, en tv-serie eller en tidskrift.

Burton är oförmögen att motstå ett enda tillfälle att visa upp filmens fond från 1972, och är opassande upphetsad över att ha fått tillgång till all kitschig fröjd och prål från perioden – allt från discokulor, via glamrock till lättantändliga textilier. Allt detta skulle ha kunnat uppfattas som sprudlande nostalgiskt om det inte redan hade satiriserats till döds under de senaste två årtiondena. När den tredje *Austin Powers*-filmen, *Goldmember*, haltade in i 70-talet 2002 låg den redan många år efter sin tid – så hur stor chans var det att *Dark shadows* i maj 2012 skulle kunna gräva fram nya sensationer från samma gamla årtionde?

Warner Bros. Pictures, som finansierade *Dark shadows*, förvärvade projektet i hopp om att det skulle kunna bli den typ av franchisefilm man behövde för att ersätta den nyligen avslutade *Harry Potter*-serien, liksom *Sagan om ringen* och *Batman*, två andra stora Warnerprofiler som närmar sig slutet av sin levnadstid. Burtons film fick därför stöd av en PR-ansträngning i den högre ligan, åtföljd av ett blixtanfall på media som till och med lyckades få in Johnny Depp i ett så osannolikt sammanhang som eftermiddagspratshowen Ellen.

Tråkigt nog för Warner Bros. lyckades *Dark shadows* inte ens frodas i vad som måste vara det mest vampyrvänliga kulturklimatet i mannaminne. Vissa menade att filmbearbetningen av Marvel comics *The Avengers* var skälet till att Burton och Depps senaste ansträngning gick om intet, men en förvånansvärd samstämmighet hos kritikerna ansåg något annat. I allmänhet var man överens om att *Dark shadows* saknade skärpa, och att det enda som hindrade det hela från att falla ihop i småbitar var den tyngdpunkt som den alltid lika pålitliga Johnny Depp utgjorde.

Tim Burtons filmer hyllas ständigt för den visuella livligheten och den här är inget undantag, men sådant beröm började vid det här laget ändå att låta en aning urvattnat. ”Traditionellt historieberättande har aldrig varit mr Burtons specialitet”, menade New York Times Manohla Dargis i en av få entusiastiska recensioner *Dark shadows* fick i massmedia. Några avfällingar ifrågasatte till och med om det fanns fortsatt livsduglighet i Depp-Burton-alliansen, men det återstår att se huruvida just den historien har ytterligare ett kapitel.

ANIMERAD FILM

Corpse Bride

2005

Rango

2011

On *Rango*:

”Jag tänker att det ger en massa vuxna människor chansen att vara fåniga ... Det är verkligen inte likt något jag gjort tidigare, inte likt det som någon av oss gjort tidigare.”

Under sin första utflykt i röstskådespeleriet spelar Depp Victor Van Dort, mot Helena Bonham Carters Corpse Bride.

Med tanke på att Johnny Depp återkommande och berömmande jämförs med forna tiders stumfilmsstjärnor, är det en smula ironiskt att två av hans bästa filmer inte bär några som helst spår av lekamlig närvaro. Det första av Depps framgångsrika strövtåg i den animerade långfilmens värld var *Corpse Bride*, vilken Tim Burton arbetade med samtidigt som han filmade *Kalle och chokladfabriken*. När Depp förband sig att bidra med sin röst till en av huvudrollerna i *Corpse Bride* tog han för givet att han skulle börja med det projektet efter att ha avslutat *Kalle och chokladfabriken*. Skådespelaren blev överraskad när han upptäckte att hans första studiosessioner för den andra filmen skulle äga rum i London efter långa arbetsdagar under inspelningen av Tim Burtons frodiga, visuella spektakel i mångmiljonklassen.

Depp spelar *Corpse Brides* manliga huvudroll Victor Van Dort, en blek och olycklig figur vars utarmade men "gammelrika" föräldrar har lurat honom till ett arrangerat giftermål med Victoria Everglot (Emily Watson), avkomman till ett iögonfallande nyrikt par. Under bröllopsrepetitionerna misslyckas Victor så kapitalt med att leverera sina repliker att han flyr in i en närbelägen skog där han förstrött trär vigselringen på roten till ett gammalt träd. Trädet omvandlas till en yppig, blåtonad varelse endast omnämnd som Corpse Bride (likbruden, ö.a., spelad av Helena Bonham Carter), som drar ner Victor till de nedre regioner som hon nu kallar hem. Även om invånarna där befinner sig i olika stadier av fysiskt förfall bildar de en hedonistisk hop, och deras underjordiska domäner utgör skådeplatsen för *Corpse Brides* musikaliska nummer (skrivna och framförda av Tim Burtons mångåriga musikaliska samarbetspartner Danny Elfman).

Handlingen i *Corpse Bride* – som Burton regisserade tillsammans med Mike Johnson – har sitt ursprung i en östeuropeisk folksaga från 1800-talet som kom till Tim Burtons kännedom genom hans gamle vän Joe Ranft, en studiekamrat från Cal Arts. (Ranft var en drivande kraft på Pixar vid tiden för sin död i en bilolycka 2005.) Burton valde att låta *Corpse Bride* utspela sig i en ospecifik tid och plats, även om han gav filmen en anda av

"Han kändes inte helt olik andra roller jag har spelat för Tim. Det var bara den grundläggande känslan. Som något liknande Scissorhands, *kändes det som ... han är en fumlig, otroligt osäker och nervös person. Väldigt lik mig i verkliga livet."*

avgjort viktoriansk hämning. Det övervägande antalet brittiska skådespelare i ensemblen (där Joanna Lumley, Albert Finney och Richard E. Grant är bland de främsta) är antagligen förklaringen till den angloinfluens Johnny Depp visade i sin gestaltning av Victor Van Dort.

Depp hade inte mycket tid att förbereda sin roll i *Corpse Bride*, så han återvände till flera tidigare roller, i huvudsak Edward Scissorhands. Victor Van Dort var måhända bara en animerad figur, men han passade väl in i Depps ständigt växande inventarium av outsidertyper. Så tidigt som 1995 beskrev Depp i en Guardianintervju den röda tråd som löper genom många av rollerna han tar, och hur han rent personligt knyter an till den tråden. "Det som intresserar mig är att det så kallade 'normala' samhället betraktar dem som utstötta, eller i utkanten, eller som kufar", sa Depp. "I varje roll du spelar finns ett visst mått av dig själv. Så måste det vara, annars är det inte bara agerande, det är lögn. Med det så säger jag inte att jag känner annorlunda än andra. Kanske har de svårare för att säga 'Jag känner mig inte accepterad' eller 'Jag känner mig osäker'. De här rollgestalterna är passiva: jag ser dem som mottagare. Jag har identifierat mig med dem sen jag var väldigt ung."

Victor Van Dorts passivitet gör att han släpas hit och dit av Corpse Bride tills hans nya underjordiska vänner slutligen konfronterar sina levande motsvarigheter i filmens anarkistiska, men till sist lyckliga klimax. *Corpse Bride* tillhandahöll även ett relativt lyckligt slut för sina kreatörer när den bärgade en Oscarsnominering för bästa animerade film.

Det andra anmärkningsvärda animerade projektet på Johnny Depps cv, *Rango*, var långt mer påkostat än den retroorienterade *Corpse Bride*. *Rangos* regissör, Gore Verbinski, var ute efter en tempoväxling efter att ha ansvarat för de första tre publiksuccéerna i *Pirates of the Caribbean*-serien, och från första början såg han animationsprojektet som ett blygsamt lågbudgetverk. Men, sådana är förväntningarna på moderna datoranimerade filmer (särskilt dem som snickras ihop av norra Kaliforniens vördade Industrial Light & Magic) att *Rango* till slut hade fått en inte så liten budget

Vänster: I *Rango* står Depp för rösten bakom kameleonten i titelrollen. Filmen gav honom möjligheten att återigen arbeta med Gore Verbinski, regissören bakom de tre första *Pirates of the Caribbean*-filmerna.

Motstående sida: Visar upp sig på premiären för *Rango*, Los Angeles, februari 2011.

på 140 miljoner dollar. Som tur var för Verbinski var hans *Pirates*-hjälte Johnny Depp med ombord på detta nya äventyr.

Rango inleds med en scen som presenterar Depp *in excelsis*: filmens titelroll – en ensam kameleont med utstående, asymmetriska ögon – genomför en röstuppvärmningsövning värdig en självuppfylld Shakespeare-sk*åå*despe*ee*lare, för att sen läxa upp ett apatiskt kringresande teatersällskap angående deras olika brister innan han beträder en nedåtgående spiral av självtvivel. Det här äger rum i baksätet på en nedcabbad bil från vilken Rango och hans anhang utan ceremonier kastas ut. När de landat på en ökenväg mitt i ingenstans görs en flyktig referens till *Fear and loathing in Las Vegas* som sen sätter tonen för resten av Verbinskis film.

Precis som Victor Van Dort innan honom uppfyller Rango mer än väl kriteriet med vilket Depp bedömer eventuella filmroller. Filmen följer sin passiva reptilprotagonist genom ett pikareskt äventyr i ett torrt vilda västern som svämmar över av referenser till ett otal Hollywoodklassiker från det senaste århundradet. Rango vandrar in i den oupplysta, snustorra hålan Dirt som bebos av en imponerande samling besynnerliga djurarter (som i sin tur spelas av en imponerande samling karaktärsskådespelare). I ett anfall av nervöst skrävel lyckas Rango bli vald till ny sheriff i staden, vilket sätter honom på kollisionskurs med Dirts lortiga Tortoise John (Ned Beatty), vars korrupta plan att avleda stadens vattentillgång gör att *Rango* återuppför det centrala temat i Roman Polanskis *Chinatown* i panoramaperspektiv.

Rango fick ett stort erkännande hos recensenterna och samlade ihop nästan en kvarts miljard dollar i biljettintäkter världen över. Johnny Depp fick ännu en gång se en av sina filmer gå in i slutkampen för bästa animerade film, och för en gångs skull röstade akademien in honom i vinnarkretsen.

FROM THE PRODUCER OF "PIRATES OF THE CARIBBEAN"

Disney

THE LONE RANGER

Snabbspola framåt

”Jag hade faktiskt sett en målning av en konstnär vid namn Kirby Sattler, och såg på den här krigarens ansikte och tänkte: Precis så. Strecken i ansiktet och över ögonen ... för mig såg det ut som att man nästan kunde se de olika delarna hos individen, om du förstår vad jag menar ...”

När regissören Rob Marshall väl hade kört *Pirates of the Caribbean* på grund med den fjärde både upptrissade och uppsvällda delen i serien, *I främmande farvatten*, så hade det mesta av den avundsvärda välvilja som franchisen hade i reserv redan kastats överbord med annan barlast. Eftersom det i första hand är Johnny Depps förhäxande närvaro som bär upp 599 minuter av denna alltmer meningslösa sjöfarartetralogi, måste Depp ha tvekat innan han återigen tog sig an bördan. Det skulle å andra sidan förklara varför Disney gick med på att betala sin funktionskritiska stjärna så mycket som 116 miljoner dollar (plus en betydande del av intäkterna) för att applicera eyeliner en femte gång.

Långt före *Pirates 5* kastar sig mot horisonten kommer Depp att spela i en annan påkostad långfilm med intressant ursprung. *The Lone Ranger* är en tråd som under lång tid löpt genom Amerikas kulturella väv – från början en radioföljetong under 1930-talet som sen åter dök upp till ytan 1949 som en långlivad tv-serie. Vita duken har dock under flera årtionden visat sig vara en ogynnsam jaktmark för den ridande helyllehjälten. 2013 års version av *Lone Ranger* återförenar Depp med den ursprunglige *Pirates*-regissören Gore Verbinski, och därtill franchise-skaparna Ted Elliott och Terry Rossio. Istället för att porträttera titel-hjälten axlar Depp rollen som Lone Rangers sidekick, indianen Tonto. Den som ikläder sig den karakteristiska svarta masken blir den ironiskt stilige Armie Hammer (*The social network*), en skådespelare född en sådär 23 år efter Johnny Depp.

De första glimtarna av *The Lone Ranger* har antytt en gammal hederlig historia som fått en ”omstart” och blivit en järnhård, actionmättad sak. Men några ledtrådar om filmens genomsyrande känslighet – och därtill Johnny Depps avgörande bidrag – har det i skrivande stund varit ont om. Kommer Depp att lyckas foga samman ännu en av sina så minnesvärda tolkningar av den traditionellt servile Tonto? De rykten som hörts om att Depps Tonto skulle vara en ”schamansk” typ bekräftades definitivt av stillbilder från inspelningarna där hans ansikte pryds av svarta streck och en uppstoppad kråka trotsigt kröner hans kranium.

En annan tidig PR-bild från *The Lone Ranger* antydde något så

Med högoktaniga actionscener och överdådiga panoramavyer av öknen lovar *The Lone Ranger* att bli en minnesvärd filmåteruppståndelse för den maskerade brottsbekämparen och hans följeslagare Tonto, spelad av Depp.

spännande som att persondynamiken mellan Lone Ranger och Tonto genomgått en betydande förändring: bilden ifråga visar Armie Hammer som heroiskt kisar ut över den stora Västern samtidigt som Johnny Depp glor på honom med oförfalskat förakt.

Något otippat för att vara honom kommer Depp att följa upp *The Lone Ranger* med att spela i ett annat gediget mainstreamäventyr. De första rapporterna tyder på att *Transcendence* (regidebut för den vördade filmfotografen Wally Pfister) tillhör den skara av metafysiska actionrullar där *The Matrix*-trilogin kan ses som pionjärverk och som fortsatt att frodas med tankevurpande storfilmer som till exempel *Inception* och *Looper*.

Under 2012 tog Johnny Depp sin karriär bortom filmbranschens gränsdragningar: i samarbete med förlagsjätten HarperCollins lanserade han sitt eget imprint som delar namn, Infinitum Nihil (ungefär "oändligheten finns inte"), med filmproduktionsbolaget som han 2004 bildade tillsammans med storasyster Christi Dembrowski. Infinitums första titel blir en nyligen upptäckt roman av folkmusikern Woody Guthrie; utgivningen av Douglas Brinkleys *The Unraveled Tales of Bob Dylan* planeras till någon gång under 2015. Att döma av de här två verken verkar det som att den brådmogna subkulturskännaren som med gitarren på ryggen flydde från förorts-Florida under tidigt 1980-tal vill visa att han har kvar de grundvärderingar han lade åt sidan då han snubblade in i skådespelaryrket i och med *Terror på Elm Street* 1984.

Det här får en att ännu en gång undra över Depps uppenbara vilja att maximera sin inkomst nu när han fyller femtio. Skälet skulle delvis kunna vara det faktum att Depp under de senaste nio åren ihärdigt odlat sin roll som filmproducent. Infinitum Nihil har skaffat sig option på en rad projekt som skvallrar om en skådespelare vars litterära smak är på en och samma gång överraskande förfinad och högst eklektisk. Ett tidigt förvärv var *Rex Mundi*, en serie tecknade romaner där inkvisitionen har överlevt in i 1900-talet och håller större delen av Europa i katolska kyrkans grepp. Efter flera år av utveckling har Depps produktionsgrupp överlåtit rättigheterna till *Shantaram*, en pikaresk skröna som inbegriper bland annat en förrymd australiensk fånge som blir till stor hjälp för Mujahedinrörelsen under Sovjets invasion av Afghanistan.

Shantaram är ett av många av Infinitum Nihils tidiga projekt som inte lyckats ta sig till produktionsfas. Men 2011 kunde bolaget skryta med sitt första stora projekt: Martin Scorseses mörkt komplexa hyllning till den tidiga filmkonsten, *Hugo*. Den följdes ett år senare av Tim Burtons *Dark shadows*.

Infinitum Nihils lista över pågående projekt uppvisar ett fullkomligt överflöd där Depps godkännande är den enda gemensamma nämnaren. Högst ambitiöst köpte han option på *In the Hand of Dante*, ett mäktigt, ambitiöst och andligt verk skrivet av den jordnära och hyllade författaren tillika New York-bon Nick Tosches. Något mera kommersiell är den omdiskuterade spelfilmen om den älskade barnboksförfattaren och illustratören Dr. Seuss (Theodor Geisel). Man har ytterligare en tecknad roman, *The Vault*, plus ett förslag på en nyinspelning av den klassiska actionkomedin *Den gäckande skuggan (The Thin Man)*. Släng också in den hyllade barnboken *Attica* tillsammans med diverse andra åtråvärda titlar och du får den bestämda känslan av att Infinitum Nihil i slutändan blir ett växthus för nya fräscha idéer – antingen det, eller bara ett verk av den storslagna fåfängan hos en välmenande filmstjärna som har råd att odla älsklingsprojekt som en hipp sidosyssla.

Johnny Depp tillhör den handfull skådespelare som för närvarande med rätta kan betrakta sig som överlägsna i sin bransch. Likväl är han den ende bland nämnda elit som har chansen att nå en ännu högre nivå: att bli den senaste medlemmen bland de odödligas skara i Hollywood, där det var många år sedan medlemsförteckningen senast utökades. Depp har grejat så många mindre mirakel som skådespelare att det är minst sagt rimligt att se framför sig hur hans namn och skepnad kommer att leva kvar i otaliga decennier.

De flesta människor ser femtioårsåldern som en signal om att dra ner på hastigheten – men det var inte den inställningen som en gång styrde Johnny Depp in på den absurt invecklade karriärbana som har tagit honom till hans nuvarande position. Det är i princip omöjligt att föreställa sig att detta svårfångade väsen skulle ta foten från gaspedalen och köra i riktning mot det tråkiga och trångsynta.

Filmografi

Som skådespelare

LÅNGFILMER

Premiärdatum gäller USA (allmän premiär)om inget annat anges.

Terror på Elm Street (A Nightmare on Elm Street)
(New Line Cinema/Media Home Entertainment/Smart Egg Pictures/The Elm Street Venture)
91 minuter
Regi: Wes Craven
Manus: Wes Craven
Foto: Jacques Haitkin
Medverkande: John Saxon (polisinspektör Donald Thompson), Ronee Blakley (Marge Thompson), Heather Langenkamp (Nancy Thompson), Amanda Wyss (Christina ”Tina” Gray), Jsu Garcia (Rod Lane), Johnny Depp (Glen Lantz), Robert Englund (Fred Krueger)
Premiär: 16 november 1984

Privat område (Private Resort)
(Delphi III Productions/TriStar)
82 minuter
Regi: George Bowers
Manus: Gordon Mitchell
Foto: Adam Greenberg
Medverkande: Rob Morrow (Ben), Johnny Depp (Jack), Emily Longstreth (Patti), Karyn O'Bryan (Dana), Hector Elizondo (The Maestro)
Premiär: 3 maj 1985

Plutonen (Platoon)
(Hemdale Film/Cinema 86 [ej omnämnd]
120 minuter
Regi: Oliver Stone
Manus: Oliver Stone
Foto: Robert Richardson
Medverkande: Keith David (King), Forest Whitaker (Big Harold), Kevin Dillon (Bunny), John C. McGinley (Sgt. O'Neill), Mark Moses (Lt. Wolfe), Johnny Depp (Lerner), Willem Dafoe (Sgt. Elias), Charlie Sheen (Chris)
Premiär: 24 december 1986

Cry-Baby
(Universal/Imagine)
85 minuter
Regi: John Waters
Manus: John Waters
Foto: David Insley
Medverkande: Johnny Depp (Cry-Baby), Amy Locane (Allison Vernon-Williams), Susan Tyrrell (Ramona Rickettes), Polly Bergen (Mrs. Vernon-Williams), Iggy Pop (Belvedere Rickettes), Ricki Lake (Pepper Walker)
Premiär: 6 april 1990

Edward Scissorhands
(Twentieth Century Fox)
105 minuter
Regi: Tim Burton
Manus: Caroline Thompson
Foto: Stefan Czapsky
Medverkande: Johnny Depp (Edward Scissorhands), Winona Ryder (Kim), Dianne Wiest (Peg), Anthony Michael Hall (Jim), Kathy Baker (Joyce), Vincent Price (The Inventor)
Premiär: 14 december 1990

Freddy's dead: The final nightmare
(New Line Cinema/Nicholas)
89 minuter
105 minuter (originalversion)
93 minuter (tv-version)
Regi: Rachel Talalay
Manus: Michael De Luca
Foto: Declan Quinn
Medverkande: Robert Englund (Freddy Krueger), Lisa Zane (Maggie Burroughs), Shon Greenblatt (John Doe), Lezlie Deane (Tracy), Ricky Dean Logan (Carlos), Johnny Depp (kille på tv)
Premiär: 13 september 1991

Arizona dream
(Canal+/Constellation/Hachette Première/Union Générale Cinématographique)
142 minuter
119 minuter (dvd-utgåva)
Regi: Emir Kusturica
Manus: David Atkins
Foto: Vilko Filac
Medverkande: Johnny Depp (Axel Blackmar), Jerry Lewis (Leo Sweetie), Faye Dunaway (Elaine Stalker), Lili Taylor (Grace Stalker), Vincent Gallo (Paul Leger)
Visad första gången 6 januari, 1993 (Frankrike).
Premiär: 9 september 1994 i USA

Benny & Joon
(Metro-Goldwyn-Mayer/Roth-Arnold)
98 minuter
Regi: Jeremiah S. Chechik
Manus: Barry Berman
Foto: John Schwartzman
Medverkande: Johnny Depp (Sam), Mary Stuart Masterson (Juniper ”Joon” Pearl), Aidan Quinn (Benjamin ”Benny” Pearl), Julianne Moore (Ruthie), Oliver Platt (Eric)
Premiär: 16 april 1993

Gilbert Grape (What's Eating Gilbert Grape)
(Paramount)
118 minuter
Regi: Lasse Hallström
Manus: Peter Hedges
Foto: Sven Nykvist
Medverkande: Johnny Depp (Gilbert Grape), Leonardo DiCaprio (Arnie Grape), Juliette Lewis (Becky), Mary Steenburgen (Betty Carver), Darlene Cates (Bonnie Grape)
Premiär: 4 mars 1994

Ed Wood
(Touchstone)
127 minuter
Regi: Tim Burton
Manus: Scott Alexander, Larry Karaszewski
Foto: Stefan Czapsky
Medverkande: Johnny Depp (Ed Wood), Martin Landau (Bela Lugosi), Sarah Jessica Parker (Dolores Fuller), Patricia Arquette (Kathy O'Hara), Jeffrey Jones (Criswell)
Premiär: 28 september 1994

Don Juan DeMarco
(New Line Cinema/American Zoetrope/Outlaw Productions)
97 minuter
Regi: Jeremy Leven
Manus: Jeremy Leven
Foto: Ralf D. Bode
Medverkande: Marlon Brando (Dr. Jack Mickler), Johnny Depp (Don Juan), Faye Dunaway (Marilyn Mickler), Géraldine Pailhas (Doña Ana), Bob Dishy (Dr. Paul Showalter)
Premiär: 7 april 1995

Dead man
(Pandora Filmproduktion/JVC Entertainment Networks/Newmarket Capital Group/12 Gauge Productions)
121 minuter
Regi: Jim Jarmusch
Manus: Jim Jarmusch
Foto: Robby Müller
Medverkande: Johnny Depp (William Blake), Gary Farmer (Nobody), Crispin Glover (eldare på tåget), Lance Henriksen (Cole Wilson), Michael Wincott (Conway Twill), Eugene Byrd (Johnny ”The Kid” Pickett), John Hurt (John Scholfield)
Visad första gången 26 maj, 1995 (filmfestivalen i Cannes).
Premiär: 10 maj 1996, i USA

I sista sekunden
(Paramount)
90 minuter
Regi: John Badham
Manus: Patrick Sheane Duncan
Foto: Roy H. Wagner
Medverkande: Johnny Depp (Gene Watson), Courtney Chase (Lynn Watson), Charles S. Dutton (Huey), Christopher Walken (Mr. Smith), Roma Maffia (Ms. Jones), Marsha Mason (guvernör Eleanor Grant)
Premiär: 22 november 1995

Donnie Brasco
(Mandalay/Baltimore/Mark Johnson)
127 minuter (147 minuter extended cut)
Regi: Mike Newell
Manus: Paul Attanasio
Foto: Peter Sova
Medverkande: Al Pacino (Benjamin ”Lefty” Ruggiero), Johnny Depp (Donnie Brasco/Joseph D. ”Joe” Pistone), Michael Madsen (Sonny Black), Bruno Kirby (Nicky), James Russo (Paulie)
Premiär: 28 februari 1997

The brave
(Jeremy Thomas/Acappella/Brave/Majestic Films International)
123 minuter
Regi: Johnny Depp
Manus: Paul McCudden, Johnny Depp, D.P. Depp
Foto: Vilko Filac, Eugene D. Shlugleit
Medverkande: Johnny Depp (Raphael), Marlon Brando (McCarthy), Marshall Bell (Larry), Elpidia Carrillo (Rita), Frederic Forrest (Lou Sr.)
Premiär: 30 juli 1997 (Frankrike); ej släppt i USA

Fear and loathing in Las Vegas
(Fear and Loathing LLC/Rhino Films/Shark Productions/Summit Entertainment/Universal)
118 minuter
Regi: Terry Gilliam
Manus: Terry Gilliam, Tony Grisoni, Tod Davies, Alex Cox
Foto: Nicola Pecorini
Medverkande: Johnny Depp (Raoul Duke), Benicio Del Toro (Dr. Gonzo), Tobey Maguire (Hitchhiker), Ellen Barkin (servitris på North Star Café), Gary Busey (polis på motorvägen)
Premiär: 22 maj 1998

The ninth gate
(Artisan Entertainment/R.P. Productions/Orly Films/TF1 Films Production/Bac Films/Canal+/Kino Vision/Origen Producciones Cinematograficas S.A./Vía Digital)
133 minuter
Regi: Roman Polanski
Manus: John Brownjohn, Enrique Urbizu, Roman Polanski
Foto: Darius Khondji
Medverkande: Johnny Depp (Dean Corso), Frank Langella (Boris Balkan), Lena Olin (Liana Telfer), Emmanuelle Seigner (Flickan, "The girl"), Barbara Jefford (baronessa Kessler), Jack Taylor (Victor Fargas)
Visad första gången 25 augusti, 1999 (Belgien/Frankrike).
Premiär: 10 mars 2000 i USA

The astronaut's wife
(New Line Cinema/Mad Chance)
109 minuter
Regi: Rand Ravich
Manus: Rand Ravich
Foto: Allen Daviau
Medverkande: Johnny Depp (befälhavare Spencer Armacost), Charlize Theron (Jillian Armacost), Joe Morton (Sherman Reese, NASA-representant), Clea DuVall (Nan), Donna Murphy (Natalie Streck), Nick Cassavetes (kapten. Alex Streck)
Premiär: 27 augusti 1999

Sleepy Hollow
(Paramount/Mandalay/American Zoetrope/Karol Film Productions/Tim Burton Productions)
105 minuter
Regi: Tim Burton
Manus: Andrew Kevin Walker
Foto: Emmanuel Lubezki
Medverkande: Johnny Depp (Ichabod Crane), Christina Ricci (Katrina Van Tassel), Miranda Richardson (Lady Van Tassel/häxa), Michael Gambon (Baltus Van Tassel), Casper Van Dien (Brom Van Brunt)
Premiär: 19 november 1999

The man who cried
(Studio Canal/Universal/Adventure Pictures/Working Title Films)
100 minuter
Regi: Sally Potter
Manus: Sally Potter
Foto: Sacha Vierny
Medverkande: Christina Ricci (Suzie), Oleg Yankovskiy (fader), Cate Blanchett (Lola), Miriam Karlin (Madame Goldstein), Johnny Depp (Cesar), John Turturro (Dante Dominio)
Visad första gången 2 september 2000 (Venedigs filmfestival); ej släppt i USA

Before night falls
(El Mar Pictures/Grandview Pictures)
133 minuter
Regi: Julian Schnabel
Manus: Cunningham O'Keefe, Lázaro Gómez Carriles, Julian Schnabel
Foto: Xavier Pérez Grobet, Guillermo Rosas
Medverkande: Javier Bardem (Reinaldo Arenas), Johnny Depp (Bon Bon/Lt. Victor), Olivier Martinez (Lázaro Gómez Carriles), Andrea Di Stefano (Pepe Malas), Santiago Magill (Tomas Diego)
Visad första gången 3 september, 2000 (Venedigs filmfestival).
Premiär: 26 januari 2001 i USA

Chocolat
(Miramax/David Brown Productions/Fat Free)
121 minuter
Regi: Lasse Hallström
Manus: Robert Nelson Jacobs
Foto: Roger Pratt
Medverkande: Juliette Binoche (Vianne Rocher), Judi Dench (Amande Voizin), Johnny Depp (Roux), Alfred Molina (Comte de Reynaud), Carrie-Anne Moss (Caroline Clairmont)
Premiär: 19 januari 2001

Blow
(Apostle/Avery Pix/New Line Cinema/Spanky Pictures)
124 minuter
Regi: Ted Demme
Manus: David McKenna, Nick Cassavetes
Foto: Ellen Kuras
Medverkande: Johnny Depp (George Jung), Penélope Cruz (Mirtha Jung), Franka Potente (Barbara Buckley), Rachel Griffiths (Ermine Jung), Paul Reubens (Derek Foreal)
Premiär: 6 april 2001

From hell
(Twentieth Century Fox/Underworld)
122 minuter
Regi: Albert Hughes, Allen Hughes
Manus: Terry Hayes, Rafael Yglesias
Foto: Peter Deming
Medverkande: Johnny Depp (kommissarie Frederick Abberline), Heather Graham (Mary Kelly), Ian Holm (Sir William Gull), Robbie Coltrane (polisinspektör Peter Godley), Ian Richardson (Sir Charles Warren)
Premiär: 19 oktober 2001

Pirates of the Caribbean: Svarta Pärlans förbannelse (Pirates of the Caribbean: The Curse of the Black Pearl)
(Walt Disney/Jerry Bruckheimer Films)
143 minuter
Regi: Gore Verbinski
Manus: Ted Elliott, Terry Rossio
Foto: Dariusz Wolski
Medverkande: Johnny Depp (Jack Sparrow), Geoffrey Rush (Barbossa), Orlando Bloom (Will Turner), Keira Knightley (Elizabeth Swann), Jack Davenport (Norrington), Jonathan Pryce (guvernör Weatherby Swann), Lee Arenberg (Pintel), Mackenzie Crook (Ragetti)
Premiär: 9 juli 2003

Once upon a time in Mexico
(Columbia/Dimension Films/Troublemaker Studios)
102 minuter
Regi: Robert Rodriguez
Manus: Robert Rodriguez
Foto: Robert Rodriguez
Medverkande: Antonio Banderas (El Mariachi), Salma Hayek (Carolina), Johnny Depp (Sands), Mickey Rourke (Billy), Eva Mendes (Ajedrez)
Premiär: 12 september 2003

Secret window
(Grand Slam Productions/Columbia/Pariah Entertainment)
96 minuter
Regi: David Koepp
Manus: David Koepp
Foto: Fred Murphy
Medverkande: Johnny Depp (Mort Rainey), John Turturro (John Shooter), Maria Bello (Amy Rainey), Timothy Hutton (Ted Milner), Charles S. Dutton (Ken Karsch)
Premiär: 12 mars 2004

Happily ever after
(Hirsch/Pathé Renn Productions/TF1 Films Production/Canal+/Centre National de la Cinématographie)
100 minuter
Regi: Yvan Attal
Manus: Yvan Attal
Foto: Rémy Chevrin
Medverkande: Johnny Depp (L'Inconnu), Charlotte Gainsbourg (Gabrielle), Sébastien Vidal (Thibault), Yvan Attal (Vincent), Chloé Combret (Chloé)
Premiär: 25 augusti 2004 (Frankrike); ej släppt i USA

Finding Neverland
(Miramax/FilmColony)
106 minuter
Regi: Marc Forster
Manus: David Magee
Foto: Roberto Schaefer
Medverkande: Johnny Depp (Sir James Matthew Barrie), Kate Winslet (Sylvia Llewelyn Davies), Julie Christie (Mrs. Emma du Maurier), Radha Mitchell (Mary Ansell Barrie), Dustin Hoffman (Charles Frohman), Freddie Highmore (Peter Llewelyn Davies), Ian Hart (Sir Arthur Conan Doyle)
Premiär: 24 november 2004

The Libertine
(The Weinstein Company/Isle of Man Film/Mr Mudd/First Choice Films 2004/Odyssey Entertainment)
114 minuter
Regi: Laurence Dunmore
Manus: Stephen Jeffreys
Foto: Alexander Melman
Medverkande: Johnny Depp (Rochester), John Malkovich (Karl II), Samantha Morton (Elizabeth Barry), Rosamund Pike (Elizabeth Malet)
Visad första gången 16 september 2004 (Torontos internationella filmfestival); premiär: 10 mars 2006 i USA

Kalle och chokladfabriken (Charlie and the Chocolate Factory)
(Warner Bros./Village Roadshow Pictures/The Zanuck Company/Plan B Entertainment/Theobald Film Productions/Tim Burton Productions)
115 minuter
Regi: Tim Burton
Manus: John August
Foto: Philippe Rousselot
Medverkande: Johnny Depp (Willy Wonka), Freddie Highmore (Charlie Bucket), David Kelly (farfar Joe), Helena Bonham Carter (Mrs. Bucket), Noah Taylor (Mr. Bucket)
Premiär: 15 juli 2005

Pirates of the Caribbean: Död mans kista (Pirates of the Caribbean: Dead Man's Chest)
(Walt Disney/Jerry Bruckheimer Films/Second Mate Productions)
151 minuter
Regi: Gore Verbinski
Manus: Ted Elliott, Terry Rossio
Foto: Dariusz Wolski
Medverkande: Johnny Depp (Jack Sparrow), Orlando Bloom (Will Turner), Keira Knightley (Elizabeth Swann), Jack Davenport (Norrington), Bill Nighy (Davy Jones), Jonathan Pryce (guvernör Weatherby Swann)
Premiär: 7 juli 2006

Pirates of the Caribbean: Vid världens ände (Pirates of the Caribbean: At World's End)
(Walt Disney/Jerry Bruckheimer Films/Second Mate Productions)
169 minuter
Regi: Gore Verbinski
Manus: Ted Elliott, Terry Rossio
Foto: Dariusz Wolski
Medverkande: Johnny Depp (Jack Sparrow), Geoffrey Rush (Barbossa), Orlando Bloom (Will Turner), Keira Knightley (Elizabeth Swann), Jack Davenport (Norrington), Bill Nighy (Davy Jones), Jonathan Pryce (guvernör Weatherby Swann)
Premiär: 25 maj 2007

Sweeney Todd (Sweeney Todd: The Demon Barber of Fleet Street)
(Warner Bros./DreamWorks/Parkes MacDonald Productions/The Zanuck Company)
116 minuter
Regi: Tim Burton
Manus: John Logan
Foto: Dariusz Wolski
Medverkande: Johnny Depp (Sweeney Todd), Helena Bonham Carter (Mrs. Lovett), Alan Rickman (domare Turpin), Timothy Spall (Beadle), Sacha Baron Cohen (Pirelli), Jamie Campbell Bower (Anthony)
Premiär: 21 december 2007

The imaginarium of Doctor Parnassus
(Infinity Features/Poo Poo Pictures/Parnassus Productions)
123 minuter
Regi: Terry Gilliam
Manus: Terry Gilliam, Charles McKeown
Foto: Nicola Percorini
Medverkande: Andrew Garfield (Anton), Christopher Plummer (Doctor Parnassus), Heath Ledger (Tony), Johnny Depp (Imaginarium Tony 1), Jude Law (Imaginarium Tony 2), Colin Farrell (Imaginarium Tony 3), Lily Cole (Valentina)
Visad första gången 22 maj, 2009 (filmfestivalen i Cannes); premiär: 8 januari 2010 i USA

Public enemies
(Universal/Relativity Media/Forward Pass/Misher Films/Tribeca/Appian Way/Dentsu)
140 minuter
Regi: Michael Mann
Manus: Ronan Bennett, Michael Mann, Ann Biderman
Foto: Dante Spinotti
Medverkande: Johnny Depp (John Dillinger), Christian Bale (Melvin Purvis), Marion Cotillard (Billie Frechette), Billy Crudup (J. Edgar Hoover), Stephen Dorff (Homer Van Meter)
Premiär: 1 juli 2009

Alice i Underlandet (Alice in Wonderland)
(Walt Disney/Roth Films/Team Todd/The Zanuck Company)
108 minuter
Regi: Tim Burton
Manus: Linda Woolverton
Foto: Dariusz Wolski
Medverkande: Johnny Depp (Mad Hatter), Mia Wasikowska (Alice Kingsleigh), Helena Bonham Carter (Red Queen), Anne Hathaway (White Queen), Crispin Glover (Stayne, Knave of Hearts), Matt Lucas (Tweedledee/Tweedledum), Michael Sheen (röst för White Rabbit), Stephen Fry (röst för Cheshire Cat), Alan Rickman (röst för Blue Caterpillar)
Premiär: 5 mars 2010

The tourist
(GK Films/Spyglass Entertainment/Birnbaum-Barber/Studio Canal/Cineroma SRL/Peninsula)
103 minuter
Regi: Florian Henckel von Donnersmarck
Manus: Florian Henckel von Donnersmarck, Christopher McQuarrie, Julian Fellowes
Foto: John Seale
Medverkande: Johnny Depp (Frank Tupelo), Angelina Jolie (Elise Clifton-Ward), Paul Bettany (kommissarie John Acheson), Timothy Dalton (överkommissarie Jones), Steven Berkoff (Reginald Shaw), Rufus Sewell (The Englishman)
Premiär: 10 december 2010

Pirates of the Caribbean: I främmande farvatten (Pirates of the Caribbean: On Stranger Tides)
(Walt Disney/Jerry Bruckheimer Films/Moving Picture Company)
136 minuter
Regi: Rob Marshall
Manus: Ted Elliott, Terry Rossio
Foto: Dariusz Wolski
Medverkande: Johnny Depp (Jack Sparrow), Penélope Cruz (Angelica Teach), Geoffrey Rush (Barbossa), Ian McShane (Blackbeard), Kevin McNally (Joshamee Gibbs), Keith Richards (Captain Teague)
Premiär: 20 maj 2011

The rum diary
(GK Films/Infinitum Nihil/FilmEngine/Dark & Stormy Entertainment)
120 minuter
Regi: Bruce Robinson
Manus: Bruce Robinson
Foto: Dariusz Wolski
Medverkande: Johnny Depp (Kemp), Aaron Eckhart (Sanderson), Michael Rispoli (Sala), Amber Heard (Chenault), Richard Jenkins (Lotterman), Giovanni Ribisi (Moberg)
Premiär: 28 oktober 2011

21 Jump Street
(Columbia/Metro-Goldwyn-Mayer/Relativity Media/Original Film/Cannell Studios)
109 minuter
Regi: Phil Lord, Chris Miller
Manus: Michael Bacall
Foto: Barry Peterson
Medverkande: Jonah Hill (Schmidt), Channing Tatum (Jenko), Brie Larson (Molly Tracey), Dave Franco (Eric Molson), Johnny Depp (Tom Hanson [ej omnämnd])
Premiär: 16 mars 2012

Dark shadows
(Warner Bros./Village Roadshow Pictures/Infinitum Nihil/GK Films/The Zanuck Company/Dan Curtis Productions/Tim Burton Productions)
113 minuter
Regi: Tim Burton
Manus: Seth Grahame-Smith
Foto: Bruno Delbonnel
Medverkande: Johnny Depp (Barnabas Collins), Michelle Pfeiffer (Elizabeth Collins Stoddard), Helena Bonham Carter (Dr. Julia Hoffman), Eva Green (Angelique Bouchard), Jackie Earle Haley (Willie Loomis)
Premiär: 11 maj 2012

The lone ranger
(Silver Bullet Productions/Jerry Bruckheimer Films)
Regi: Gore Verbinski
Manus: Ted Elliott, Justin Haythe, Terry Rossio
Foto: Bojan Bazelli
Medverkande: Johnny Depp (Tonto), Helena Bonham Carter, Armie Hammer (John Reid/The Lone Ranger), Tom Wilkinson (Latham Cole), Ruth Wilson (Rebecca Reid), James Badge Dale (Dan Reid), Barry Pepper (kapten J. Fuller)
Premiär: 3 juli 2013

ANIMERAD FILM

Corpse Bride
(Warner Bros./Tim Burton Animation Co./Laika Entertainment/Patalex Productions/Tim Burton Productions/Will Vinton Studios)
77 minuter
Regi: Tim Burton, Mike Johnson
Manus: John August, Caroline Thompson, Pamela Pettler
Foto: Pete Kozachik
Medverkande: Johnny Depp (röst för Victor Van Dort), Helena Bonham Carter (röst för Corpse Bride), Emily Watson (röst för Victoria Everglot), Tracey Ullman (röst för Nell Van Dort/Hildegarde), Paul Whitehouse (röst för William Van Dort/Mayhew/Paul The Head Waiter), Joanna Lumley (röst för Maudeline Everglot), Albert Finney (röst för Finis Everglot), Richard E. Grant (röst för Barkis Bittern), Christopher Lee (röst för pastor Galswells)
Premiär: 23 september 2005

Rango
(Blind Wink Productions/GK Films/Nickelodeon Movies)
107 minuter
Regi: Gore Verbinski
Manus: John Logan, Gore Verbinski, James Ward Byrkit
Medverkande: Johnny Depp (röst för Rango/Lars), Isla Fisher (röst för Beans), Abigail Breslin (röst för Priscilla), Ned Beatty (röst för Mayor), Alfred Molina (röst för Roadkill), Bill Nighy (röst för Rattlesnake Jake), Timothy Olyphant (röst för Spirit of the West)
Premiär: 4 mars 2011

TV-FILMER

Slow burn
(Castles Burning Productions/MCA Pay Television/Universal Pay Television)
92 minuter
Regi: Matthew Chapman
Manus: Matthew Chapman
Medverkande: Eric Roberts (Jacob Asch), Beverly D'Angelo (Laine Fleischer), Dennis Lipscomb (Ron McDonald), Raymond J. Barry (Gerald McMurty), Anne Schedeen (Mona), Emily Longstreth (Pam Draper), Johnny Depp (Donnie Fleischer)
Sändes första gången 29 juni 1986

DOKUMENTÄRER

American Masters
”The Source: The Story of the Beats and the Beat Generation”
(Beat Productions/Calliope Films/WNET Channel 13 New York)
88 minuter
Regi: Chuck Workman
Manus: Chuck Workman
Medverkande: Johnny Depp (Jack Kerouac), Dennis Hopper (William S. Burroughs), John Turturro (Allen Ginsberg), Allen Ginsberg (som sig själv), Philip Glass (som sig själv)
Sändes första gången 31 maj 2000

American Masters
”The Doors: When You're Strange”
(Eagle Rock Entertainment/WNET Channel 13 New York)
86 minuter
Regi: Tom DiCillo
Manus: Tom DiCillo
Medverkande: Johnny Depp (berättare), arkivfoton av John Densmore, Robby Krieger, Ray Manzarek, Jim Morrison
Sändes första gången 12 maj 2010

TV-SERIER

Lady Blue
"Beasts of Prey"
(MGM/UA Television)
1 avsnitt
Johnny Depp som Lionel Viland
Sändes första gången 10 oktober 1985

Hotel
"Unfinished Business"
(Aaron Spelling Productions)
1 avsnitt
Johnny Depp som Rob Cameron
Sändes första gången 4 februari 1987

21 Jump Street
(Twentieth Century Fox Television/LBS Communications/Patrick Hasburgh Productions/Stephen J. Cannell Productions)
80 avsnitt (1987–1990)
Johnny Depp som polisofficer Tom Hanson
Sändes första gången 12 april 1987

The Fast Show
"The Last Ever Fast Show"
(BBC)
1 avsnitt
Johnny Depp som kund i herrekiperingsaffär
Sändes första gången 26 december 2000 (Storbritannien)

King of the Hill
"Hank's Back"
(3 Art Entertainment)
1 avsnitt
Johnny Depp röst för Yogi Victor
Sändes första gången 9 maj 2004

SpongeBob SquarePants
"SpongeBob SquarePants vs. The Big One"
(United Plankton Pictures/Nicktoons Productions)
1 avsnitt
Johnny Depp röst för Jack Kahuna Laguna
Sändes första gången 17 april 2009

Life's Too Short
(BBC)
1 avsnitt
Johnny Depp som sig själv
Sändes första gången 17 november 2011 (Storbritannien)

Som producent

LÅNGFILM

Hugo
(Paramount/GK Films/Infinitum Nihil)
126 minuter
Regi: Martin Scorsese
Manus: John Logan
Producenter: Johnny Depp, Tim Headington, Graham King, Martin Scorsese
Line producer (Paris): John Bernard
Exekutiva producenter: David Crockett, Barbara De Fina, Christi Dembrowski, Georgia Kacandes, Emma Tillinger Koskoff, Charles Newirth (ej omnämnd)
Medverkande: Ben Kingsley (Georges Méliès), Sacha Baron Cohen (stins), Asa Butterfield (Hugo Cabret), Chloë Grace Moretz (Isabelle), Ray Winstone (Uncle Claude), Emily Mortimer (Lisette), Christopher Lee (Monsieur Labisse)
Premiär: 23 november 2011

The rum diary (se även sida 284)
Producenter: Christi Dembrowski, Johnny Depp, Tim Headington, Graham King, Robert Kravis, Anthony Rhulen
Medproducent: Peter Kohn
Exekutiva producenter: A.J. Dix, Patrick McCormick, Greg Shapiro, William Shively, George Tobia, Colin Vaines

Dark shadows (se även sida 284)
Producenter: Christi Dembrowski, Johnny Depp, David Kennedy, Graham King, Richard D. Zanuck
Medproducent: Katterli Frauenfelder
Associativ producent: Derek Frey
Exekutiva producenter: Bruce Berman, Nigel Gostelow, Tim Headington, Chris Lebenzon

Som regissör

KORTFILM FÖR TV

Stuff
12 minuter
Regi: Johnny Depp
Producent: Gibby Haynes
Foto: Bruce Alan Greene
Medverkande: John Frusciante (som sig själv), Timothy Leary (som sig själv)
Sändes första gången 1992

LÅNGFILM

The brave (se även sidan 283)
Producenter: Charles Evans Jr., Carroll Kemp
Medproducent: Diane Batson-Smith
Associativ producent: Buck Holland
Exekutiv producent: Jeremy Thomas

Bilder

Stor möda har lagts ner på att spåra och tillkännage rättighetsinnehavarna. Vi ber i förväg om ursäkt för omedvetna förbiseenden och är givetvis villiga, om en sådan situation uppstår, att lägga till lämplig information i framtida utgåvor av boken.

Ö: övre; N: nedre; H: höger; V: vänster

Corbis: 1 (Christophe d'Yvoire/Sygma), 7 (Alessandra Benedetti), 35 (Phillip Saltonstall), 45–46 (Christophe d'Yvoire/Sygma), 47 (Etienne George/Sygma), 48 (Nathalie Eno/Sygma), 49 Ö (Christophe d'Yvoire/Sygma), 49 N (Nathalie Eno/Sygma), 54 (MGM/Bureau L.A. Collection), 62 (Albert Sanchez/Corbis Outline), 71 (Touchstone/Sunset Boulevard), 88 H (Paramount/Bureau L.A. Collection), 97 (Christophe d'Yvoire/Sygma), 102 (Eric Robert, Stephane Cardinale & Thierry Orban/Sygma), 103 (Christophe d'Yvoire/Sygma), 127 (Aaron Rapoport), 130 (Christophe d'Yvoire/Sygma), 165 (Jérôme de Perlinghi/Corbis Outline), 225 Ö (Fred Prouser/Reuters), 229 (Daniel Deme/epa), 251 (Jens Kalaene/dpa), 265 (Stephane Cardinale/People Avenue), 288 (Kimimasa Mayama/epa); **Getty Images:** 2 (Vera Anderson/WireImage), 15 V (New York Daily News), 16 Ö (Pool Apesteguy/Benainous/Duclos/Gamma-Rapho), 16 N (Kevin Winter/Time & Life Pictures), 73 (Richard Blansard), 125 (Ron Galella/WireImage), 184 (Vera Anderson/WireImage), 195 N (Jason Bell/Time Magazine/Time & Life Pictures), 287 (Imeh Akpanudosen); **Photoshot:** 9 (Armando Gallo/Retna), 12 (Shooting Star/Idols), 13 (Zed Jameson/Idols), 25 (TriStar Pictures/Entertainment Pictures), 27 (Aaron Rapoport/LFI), 43 N (Tammie Arroyo/CPA/LFI), 75 (New Line), 93 H (Mandalay Entertainment/Entertainment Pictures), 144 N (El Mar Pictures/Entertainment Pictures), 271 (Warner Bros.), 281 (Walt Disney); **Kobal:** 10 (Walt Disney), 28 N (Orion), 31 Ö (Universal), 33 (Universal), 36 (20th Century Fox), 38 (20th Century Fox/Zade Rosenthal), 40–41 (20th Century Fox), 43 Ö (20th Century Fox), 51–52 (MGM), 55 (MGM), 60–61 V (Paramount), 69 & 70 Ö (Touchstone), 76 (Zoetrope/New Line/Morton Merrick), 81 (12-Gauge Productions/Pandora), 84 (12-Gauge Productions/Pandora), 85 N (12-Gauge Productions/Pandora), 94–95 (Baltimore Pictures/Mandalay Entertainment), 98–99 (Majestic Films), 108–109 (Universal/Peter Mountain), 111 (Universal/Peter Mountain), 112 Ö (Universal/Peter Mountain), 116 (Artisan Pics), 118 Ö & N (Artisan Pics/Peter Mountain), 134 (Paramount/Mandalay/Clive Coote), 137 (Paramount/Mandalay/Clive Coote), 140–141 (Working Title/Studio Canal/Adventure Pic), 144 Ö (El Mar Pictures/Daniel Daza), 148 (Fat Free Ltd./Miramax), 150–151 (Fat Free Ltd./Miramax), 154 (New Line/Avery Pix), 160–163 (20th Century Fox/Jürgen Vollmer), 167 (Walt Disney), 171–172 (Walt Disney), 174 V (Walt Disney), 177–178 (Miramax/Columbia/Rico Torres), 179 H (Miramax/Columbia/Rico Torres), 182–183 (Columbia TriStar/Jonathan Wenk), 188 (Film Colony), 191–192 V (Film Colony), 194 (Film Colony), 197 (Isle of Man Film/Odyssey), 204–207 (Warner Bros./Peter Mountain), 209 (Walt Disney), 211 Ö (Walt Disney/Peter Mountain), 211 N (Walt Disney), 212–215 (Walt Disney/Peter Mountain), 216–217 (Walt Disney/Peter Mountain), 219 (Walt Disney/Peter Mountain), 222 (DreamWorks/Warner Bros.), 226 (DreamWorks/Warner Bros), 232–233 (Parnassus Productions), 234–239 (Forward Pass), 241–242 (Walt Disney), 244–245 (Walt Disney), 248–249 (Studio Canal), 252 (Walt Disney), 255–259 (Walt Disney), 261–262 (Warner Independent Pictures), 266–269 (Warner Bros.), 273 Ö (Warner Bros.), 274 (Warner Bros.), 276 (Blind); **Photofest:** 14 (Photofest), 30 (Universal), 39 (20th Century Fox/Zade Rosenthal), 41 H (20th Century Fox), 53 (MGM), 58–59 (Paramount/Peter Iovino), 78 (New Line), 83 (Miramax/Christine Parry), 88 V (Paramount), 89 (Paramount), 91 (TriStar), 93 V (TriStar), 105 (Universal), 110 (Universal), 112 N (Universal), 123 H (New Line), 129 (Paramount), 145 (Fine Line Features), 149 (Miramax/David Appleby), 168 (Walt Disney), 179 V (Columbia), 190 (Miramax/Film Colony), 202 (Warner Bros.), 210 N (Buena Vista), 247 (Columbia), 254 (Disney Enterprises Inc./Peter Mountain), 280 (Walt Disney); **Press Association:** 15 H (Antony Jones/UK Press), 113 (Neil Munns/PA Archive), 200 (Mark J. Terrill/AP), 221 (Matt Sayles/AP); **Rex Features:** 17 (KPA/Zuma), 23 (Universal/Everett), 26 (TriStar Pictures/Everett), 42 N (20th Century Fox/Moviestore Collection), 56 (Paramount/Moviestore Collection), 61 H (Paramount/SNAP), 64 (Buena Vista/Everett), 68 (Buena Vista/Everett), 70 N (Buena Vista/SNAP), 92 (Sipa Press), 115 (Artisan Entertainment/Everett), 122 V (New Line/Moviestore Collection), 139 (Universal/Everett), 157 (New Line/Everett), 170 (Walt Disney/Everett), 186 (Sipa Press), 195 Ö (Alex Berliner/BEI), 218 (Buena Vista/Everett), 275 (Warner Bros./Everett), 277 (Sipa Press); **akg-images:** 19 (Touchstone/Album), 169 N (Touchstone/Album), 173 (Touchstone/Album), 243 H (Walt Disney/Album), 270 (Warner Bros. Pictures/Album); **Ronald Grant:** 24 Ö (New Line), 79 (New Line); **Photo12.com:** 24 N (New Line/Archives du 7e Art), 28 Ö (Orion/Wolf Tracer Archive), 31 N (Universal), 40 V (20th Century Fox), 42 Ö (20th Century Fox/Archives du 7e Art), 66–67 (Touchstone/Buena Vista/Archives du 7e Art), 77 H (New Line/Archives du 7e Art), 98 (Majestic Films/Archives du 7e Art), 100–101 (Majestic Films/Archives du 7e Art), 123 V (New Line/Archives du 7e Art), 131–133 (Paramount/Archives du 7e Art), 147 (Fat Free/Miramax/Archives du 7e Art), 153 (New Line/DR), 158 (20th Century Fox/Archives du 7e Art/DR), 169 Ö (Walt Disney/DR), 174–175 (Walt Disney/Archives du 7e Art), 181 (Columbia TriStar/DR), 186 Ö & 187 (PathŽ Renn Productions/Hirsch/Archives du 7e Art), 192–193 (Miramax/Archives du 7e Art), 198–199 (Isle of Man Film/Odyssey/Archives du 7e Art), 201 (Isle of Man Film/Odyssey/Archives du 7e Art), 204 V (Warner Bros./Archives du 7e Art), 216 V (Walt Disney/Archives du 7e Art), 224 (Warner Bros./Archives du 7e Art), 230 (Parnassus Productions/Cinema Collection), 248 V (Studio Canal/CTMG/Archives du 7e Art), 250 (Studio Canal/CTMG/Archives du 7e Art), 263–264 (Warner Independent Pictures/GK Films/Archives du 7e Art), 273 N (Paramount); **Alamy:** 29 (Orion/Pictorial Press), 117 Ö & N (Artisan Entertainment/A.F. Archive), 121 (New Line/A.F. Archive), 122 H (New Line/A.F. Archive), 124 (New Line/A.F. Archive), 136 (Paramount/A.F. Archive), 143 (El Mar Pictures/A.F. Archive), 156–157 (New Line/A.F. Archive), 175 H (Walt Disney/A.F. Archive), 225 N (Warner Bros./A.F. Archive); **British Film Institute:** 32 (Universal), 66 V (Touchstone/Buena Vista), 82 (12-Gauge Productions/Pandora), 85 Ö (12-Gauge Productions/Pandora), 106 (Universal), 199 H (Isle of Man Film/Odyssey), 227 (DreamWorks/Warner Bros.); **Mary Evans Picture Library:** 77 V (Rue des Archives/New Line), 86 (Paramount/Rue des Archives), 135 (Paramount/Rue des Archives); Alpha Press: 107 (Rose Hartman/Globe Photos), 119 (Angeli); **TopFoto:** 210 Ö (Walt Disney); **Allstar:** 278 (Walt Disney).

Källor till citat av Johnny Depp

Sidorna 1, 20, 246, 250, 272 i *Johnny Depp: The Unauthorised Biography* av Danny White, Michael O'Mara, 2011; **6** intervju med David Aldridge, Film Review, 1993; **8, 180** från "Doing It Depp's Way" av Josh Tyrangiel, Time, 2004; **13, 25, 46, 53, 65, 70, 74, 98, 101, 102, 110, 116, 146, 150–151, 155, 159, 168, 176, 182, 190** i *Johnny Depp: A Modern Rebel* av Brian J. Robb, Plexus, 2004; **14, 17** i *Johnny Depp: An Illustrated Story* av David Bassom, Hamlyn, 1996; **18, 210** intervju med Emily Blunt, http://www.bluntreview.com/reviews/depp.htm; **22** i Before They Were Famous: In Their Own Words av Karen Hardy Bystedt, General Publishing Group, 1996; **26, 208** i *Johnny Depp* av Jane Bingham, Raintree, 2005; **29** från intervju i Splice, 1998; **33** intervju med Stephen Rebello, Movieline, 1990; **34, 220** från "Johnny Depp Now Finds Himself a Hollywood Heavyweight" av Barry Koltnow, Orange County Register, 2004; **37** intervju med Kevin Cook, Playboy, 1996; **38, 142, 163, 206** i *Johnny Depp: A Kind of Illusion* av Denis Meikle, Reynolds & Hearn, 2004; **41** från "Foreword" av Johnny Depp i Burton on Burton av Tim Burton, Faber and Faber, 1995; **43** intervju med Bill Zehme, Rolling Stone, 1991; **44, 50, 68, 79, 100, 108, 166, 189, 194, 275** i The Secret World of Johnny Depp av Nigel Goodall, Blake, 2006; **57, 59** intervju med Dan Yakir, Sky, 1994; **63, 72** i Johnny Depp: Movie Top Ten av Jack Hunter (ed.), Creation, 1999; **80** från intervju i GQ Italia, 2003; **84** intervju med Holly Millea, Premiere, 1995; **87** intervju med Sean Mitchell, Newsday, 1995; **90** intervju med Johanna Schneller, Premiere, 1999; **93** från "Outsider on the A-List" av Martyn Palmer, Times, 1997; **96** intervju med Christophe d'Yvoire, Studio, 1997; **104** intervju med Elizabeth McCracken, Elle, 1998; **107** från "The Hellraiser's Apprentice" av Martyn Palmer, Times, 1998; **114, 120, 130, 132, 164** intervju med Nancy Mills, New York Daily News, 1999; **123, 124** http://www.youtube.com/watch?v=rwDqtkGCGho; **128** intervju med Chris Nashawaty, Entertainment Weekly, 1999; **138, 140** intervju med Heather Wadowski, http://interview.johnnydepp-zone2.com/2001_1116FilmThreat.html; **152** intervju med Ersie Danou, Cinema Magazine, 2001; **161, 185** från intervjun Depp Deals Hollywood a Blow på http://www.talktalk.co.uk/entertainment/film/interview/person/johnny-depp/31; **170, 258** intervju med John Scott Lewinski, http://uk.askmen.com/celebs/interview_500/550_johnny-depp-interview.html; **173** intervju med Chris Nashawaty, Entertainment Weekly, 2003; **196, 198, 201** intervju med Patti Smith, Vanity Fair, 2011; **203** från "Interview: Johnny Depp" av Steve Head, http://uk.ign.com/articles/2005/07/13/interview-johnny-depp-3; 205 intervju med Sean Smith, Newsweek, 2005; **216** intervju med Rich Cline, http://www.contactmusic.com/interview/johnny-depp-pirates-4; **219** intervju med Martyn Palmer, Mail on Sunday, 2007; **223** intervju med Miles Fielder, The Big Issue Scotland, 2008; **227** intervju med Mark Salisbury, Los Angeles Times, 2008; **228, 235, 231** intervju med Charles Hadley-Garcia, Japan Times, 2010; **239** intervju med John Hiscock, Telegraph, 2009; **240, 245** intervju med Mark Salisbury, Telegraph, 2010; **243** intervju med Cal Fussman, Esquire, 2010; **253** intervju med Steve Weintraub, http://collider.com/johnny-depp-interview-pirates-caribbean-4-on-stranger-tides/74154/; **254** från "Johnny Depp Talks Stranger Tides" av Helen O'Hara, Empire Online, 2011; **256** intervju med Earl Dittman, Digital Journal, 2009; **260** intervju med Decca Aitkenhead, Guardian, 2011; **262** intervju med Robert Chalmers, GQ, 2011; **267** intervju med Kara Warner, http://www.mtv.com/news/articles/1672481/johnny-depp-dark-shadows.jhtml; **269** från "Hero Complex" av Geoff Boucher, Los Angeles Times, 2012; **279** i "Johnny Depp reveals origins of Tonto makeup from 'The Lone Ranger'" av Anthony Breznican, Entertainment Weekly, 2012; **288** från "Kerouac, Ginsberg, the Beats and Other Bastards Who Ruined my Life" av Johnny Depp, Rolling Stone, 1999.

Till höger: Johnny Depp uppträder som gästgitarrist på Petty Fest West, en hyllningskonsert till Tom Petty and the Heartbreakers. El Rey Theatre, Los Angeles, 15 november 2012.

Nästa uppslag: På den japanska premiären för *Dark shadows*, Tokyo, maj 2012.

”Så mycket har hänt mig under de 20 år som gått sedan jag först slog mig ner och insöp Kerouacs mästerverk. Jag har varit byggarbetare, jobbat på bensinmack, varit en kass mekaniker, tryckare, musiker, telefonförsäljare, skådespelare och måltavla för tabloidjournalistiken ... Det har varit en intressant resa – emotionellt och psykologiskt krävande.”